IMAGO

DU MÊME AUTEUR

*Je jette mes ongles par la fenêtre*, L'instant même, 2008.
*Le vent dans le dos*, Leméac, 2014.

NATALIE JEAN

# Imago

*roman*

LEMÉAC

Ouvrage édité sous la direction
de Marie-Claude Fortin

Photographie en couverture : © Natalie Jean

*Leméac Éditeur remercie le Conseil des arts du Canada, la Société de développement des entreprises culturelles du Québec (SODEC) et le Programme de crédit d'impôt pour l'édition de livres du Québec (Gestion SODEC) du soutien accordé à son programme de publication.*

Financé par le gouvernement du Canada | Canadä



ISBN 978-2-7609-4735-1


4609, rue D'Iberville, 1er étage, Montréal (Québec) H2H 2L9
Dépôt légal – Bibliothèque et Archives nationales du Québec, 2016

Mise en pages : Compomagny

*Imprimé au Canada*

*À moi, pour Jas*

Imago : nom masculin et féminin, du latin *imago*, « portrait ». Représentation inconsciente à laquelle sont subordonnés les rapports du sujet à son entourage. *Imago paternelle, maternelle, fraternelle.*

D'après ANTIDOTE

C'est drôle comme les gens qui se croient instruits éprouvent le besoin de faire chier le monde.

BORIS VIAN, *Les fourmis*

L'homme n'est pas rivière et peut retourner en arrière.

DICTON ITALIEN

On peut pas tous être beaux pis savoir téléphoner.

PROVERBE QUÉBÉCOIS

# Migration

Une grosse marmotte traverse les rails en levant les coudes comme une athlète et court vers le boisé en brassant sa fourrure. La gare est abandonnée, on achète son billet en ligne. À l'intérieur, les banquettes, le comptoir, les dépliants touristiques éparpillés par terre : tout est recouvert de poussière blanche comme de la poudre de craie.

Dans la vitre sale, j'entrevois mon reflet de gars tout bien rasé, habillé en urbain des villes. Je réalise que j'ai eu trente-sept ans avant-hier. Pas vu ça passer.

La première fois que j'ai pris le train ici, j'étais p'tit, c'est fou que je m'en souvienne, avec Maman et Nic, on était allés à Québec… Et, quand j'avais quinze ans, elle était bonne pour moi, la gare, le soir après le dernier train, son banc à l'ombre du quai sur lequel je pouvais m'asseoir avec Lili Morin, à l'abri des yeux des autres.

Hier, j'étais partant. Là, je suis moins sûr de mon coup. Je pourrais encore m'échapper. Retourner sur ma colline… brasser ma fourrure.

Ce serait la meilleure chose à faire.

Mais j'ai dit *j'arrive.*

Selfrid a ri quand il m'a vu tantôt : « C'est sérieux, y s'est greyé comme un ministre ! » En bon chien télépathe, Roc avait reniflé la phéromone du départ et nous attendait assis sur la banquette du camion. Une fois en chemin, Selfrid ne riait plus du tout, il avait son air de vieil Indien stoïque, les yeux calés dans ses sourcils broussailleux, rivés à une route qu'il connaît par cœur. Pas un mot du trajet. Même pas un coup d'œil quand on est passés devant la maison de son enfance, là où il a *jeunessé en masse*, comme il dit. D'habitude, il m'en sort au moins une : sa jument bleue, les p'tites rivières à truites, sa sainte mère qui a enduré dix enfants turbulents. Il a peut-être cet animal vissé dans la tête…

Ça aurait pu être pire, j'aurais pu me blesser, mourir même.

Mourir est toujours possible.

J'ai essayé de faire diversion, j'ai dit : « Je t'ai laissé un cellulaire, s'il y a quoi que ce soit… » Il a grogné. Assis entre nous deux, le chien a gémi.

Les trois derniers jours, on a posé le bardeau sur le cabanon construit par mon grand-père il y a cinquante ans ; ça fait presque un an que je le rénove avec Selfrid. Le bardeau de cèdre, c'est la touche finale. Ça fait plaisir de travailler dehors, des vapeurs de thuya plein les poumons. Il faisait chaud, on prenait notre temps.

Avec le vieux, j'ai appris un nouveau rythme de travail, *la lenteur efficace*. La djobe est aussi dure, mais c'est plus reposant. On s'arrête pour s'essuyer le front, pour respirer, pour regarder le ciel à travers les cimes. Quand Selfrid a débouché sa gourde de fer-blanc pour prendre une gorgée, j'ai senti que je mourais de soif et j'ai bu la moitié de ma bouteille. Il a fait boire Roc dans sa main, a relevé la tête, les yeux brillants :

— Max, j'en ai vu une belle !

— Pas une nouvelle déesse ?

— Écoute, grande, mince pis lisse…

La première fois que Selfrid m'a décrit une roche, j'étais certain qu'il parlait d'une femme. Selfrid *aime* les roches. C'est un authentique passionné, il explore les bords de chemin, à la recherche de perles rares, couvre chaque parcelle de ses pas attentifs; tous les plis de la terre, il les connaît.

— Bien cachée, j'imagine, ta beauté sauvage?

— C'est dans le tournant du sixième, sur le rebord du champ. Y a de la fardoche, c'est sûr, un peu malaisée à cueillir, mais belle, j'te dis: parfaite!

— Hé que j'aime ça, quand tu dis *cueillir*.

— Faudrait pas trop niaiser.

Il sourit quand il dit ça, mais il le pense un peu quand même. Il a hâte. «Et on la mettrait où, cette merveille, monsieur Desjardins?» Il a pointé vers l'ouest.

— Le coin cabossé sur la butte en face du couchant, j'pensais…

— Une pierre belvédère? Bonne idée, ça, excellente idée!

Son sourire: gêné d'être content.

On a continué notre ouvrage. Le rythme de nos coups de marteau atteignait parfois une synchronie qui se transformait tranquillement en dialogue, avant de basculer dans la cacophonie. Selfrid s'est arrêté, a levé les yeux: «Ça se rameute.» Des nuages sombres et pressés s'accumulaient au-dessus de nos têtes, gonflés comme des outres de cuir bleu, et il a fait encore plus chaud.

Le ciel a crevé d'un coup, libéré une douche argentée, j'ai laissé tomber le marteau et la chemise, ouvert grand les bras. La voix étouffée de Selfrid: «À plus tard, Max!» Et il a disparu derrière le rideau de pluie. Le vieux Roc l'a suivi en passant par le fossé déjà transformé en ruisseau, pour se rafraîchir les pattes. J'ai enlevé tous mes vêtements, je suis rentré nu en marchant au ralenti, les paumes tournées vers les gouttes, j'avais eu tellement chaud, mon corps fumait. On l'avait attendue, celle-là. Tout était sec, les sentiers craquaient, les champignons restaient au frais sous la terre; dans le Nord, des feux de forêt bouffaient le patrimoine boréal. Une fois rentré, j'ai mis un café en marche. À la recherche du roman que je lis, j'ai poussé la porte de mon bureau, brassé quelques papiers, l'ordinateur s'est réveillé, l'icône de Skype clignotait dans le coin de l'écran. Un message de Montréal... Il était pourtant clair que j'étais en vacances, officiellement en vacances, et que c'était à moi de les appeler. Je suis allé dans le salon, j'ai cherché ce livre de William Boyd jusque sous le grand sofa. Je suis retourné dans le bureau, me suis assis devant l'ordi et j'ai cliqué.

Bien sûr que j'ai cliqué.

Ils avaient besoin de moi au bureau, et je me suis pris pour la cavalerie : j'ai dit *j'arrive.*

En bouclant mon sac de voyage, je me suis souvenu d'une autre promesse que j'avais faite et qui ne pouvait plus attendre. J'ai embarqué la boîte dans l'auto, et je suis parti chez Martin dans le cinquième rang.

J'ai rencontré Martin à mon arrivée dans le coin, il y a trois ans. Un grand gaillard taillé d'une seule pièce, une dizaine d'années de plus que moi, le sourire franc et large. Il travaille à la quincaillerie ; c'est le genre de gars qui connaît tout ce qui peut t'arriver de pire en construction et qui te donne tous les trucs pour l'éviter. Un samedi, ce printemps, on s'est croisés dans l'arrière-pays, il a baissé sa vitre avec une face de conspirateur :

— Hey, Rivière, salut ! T'aimes-tu ça, toi, la pêche ?

— J'*adore* la pêche.

— As-tu quatre heures devant toi ?

Quatre heures... J'ai compris que j'avais réussi une partie de mon plan, parce que ces quatre heures là, je les avais.

Il y a deux semaines, je suis tombé sur lui au village, il était avec son plus vieux qui avait travaillé tout l'été pour se payer un cell. J'ai parlé de cet ordinateur que je n'utilisais pas, et les yeux du jeune se sont allumés comme des phares de brume : Julien, un p'tit gars du cinquième rang, passionné d'informatique.

Le soleil était bas dans le rétroviseur quand je suis arrivé chez eux. Martin était sur une banquette d'auto transformée en balançoire sur la galerie de sa maison. Je me suis assis sur les marches, il est allé chercher deux bières. On a parlé – de la pluie qui ne tombait pas, qui tombait trop, de cannes à pêche, de caveau à légumes… On s'est arrêtés pour regarder le soleil se faire avaler par les mamelles des collines.

Quand je lui ai dit pourquoi j'étais venu, il a planté ses yeux au fond des miens, sa main pesante s'est abattue sur mon épaule : « Jésus Marie, Max, c'était pas une farce ! »

On est entrés avec la boîte. Sa femme a bondi du sofa : « Ah, mon Dieu, l'ordi ! » Dans un coin du salon, un petit bureau attendait à côté d'une prise de courant, prêt à accueillir la bête. La femme de Martin m'a demandé en souriant : « Maxime, aimez-vous la perdrix ? » Quand la pomme a fait éclater sa note d'orchestre, des rires ont jailli de l'obscurité du couloir. Deux fillettes légères et sautillantes, en pyjamas rayés bleu-blanc-rose.

Là, j'ai essayé d'expliquer : « Internet est là, les applications ici, on stocke les photos là-dedans, la musique là ; pour dessiner on a ça, pour écrire on… » Tous regardaient l'écran en espérant que quelque chose se passe. Je patinais. Je patinais solide les patins pas attachés, sur une glace raboteuse. Enfin, on a entendu le gravier crisser, le bruit d'un vélo qu'on jette à terre et le tonnerre de cinq marches gravies à toute volée. La porte moustiquaire a claqué, Julien était là et ses pupilles flambaient : « Trop hot, monsieur Maxime, trop hot ! » Je lui ai cédé la place avec soulagement. Il s'est mis aux commandes, a fait le partage de connexions avec son cell ; il tapait sans regarder le clavier. En trois clics, il a trouvé ce qu'il cherchait, les lutins ont poussé de petits cris stridents. « Aurélie ! Aurélie ! » Dans une assemblée familiale, une jeune femme blonde à la voix très pure chantait en s'accompagnant à la guitare. Martin m'a glissé : « C'est notre nièce. » Sa femme a posé la tête sur son épaule.

Je suis reparti dans un paysage blanchi par la pleine lune avec cinq perdrix congelées.

Dans la montée de la colline, le couvert forestier est dense et chaque fois, je ralentis. C'est là que j'ai frappé la biche. On pourrait aussi bien dire que c'est elle qui m'a frappé, elle a littéralement *bondi* sur ma voiture. Une secousse fulgurante et une vrille.

Le cerveau plaqué aux parois de ma boîte crânienne, le sac gonflable imprimé dans le thorax, j'étais dans une toupie de fer, la seconde s'est étirée, a semblé durer une heure, il y a eu un soubresaut, puis l'immobilité. Recouvert de diamants en flocons, j'ai recommencé à respirer. Côté passager, le pare-brise crachait ses dents la bouche ouverte. J'ai décliqué la sangle, déplié mon squelette hors de la voiture. Intact. J'étais intact. La biche était à dix pas de moi, picotée par les éclats de lune qui s'étaient faufilés entre les branches, elle ressemblait à Bambi. Elle avait l'air intacte, elle aussi, mais dans la fourrure de son cou encore chaud, le cœur ne battait plus.

Le mien s'est emballé à retardement, je n'ai rien vu venir, j'essayais juste de respirer. Je me suis mis à chialer, brailler à me déchirer les poumons, plié en deux à côté d'un chevreuil mort. On pense avoir enfoui les choses très loin en soi, mais elles sont toujours là, aux aguets, sous la peau.

J'ai traîné la biche sur le côté. La voiture chiffonnée a accepté de démarrer avec une panoplie de nouveaux bruits.

Il y avait de la lumière chez Selfrid. Il écoutait son classique, assis à côté de la radio dans son fauteuil de cuir du début de la colonie. Roc a frappé le sol de sa queue pour dire bonjour sans quitter son tapis. J'ai raconté en deux phrases, et le vieux s'est levé d'un bloc.

— Sur le coup ? Tu l'as tuée sur le coup ? C'est arrivé où, exactement ?

— Pas loin, dans le creux du ruisseau sec.

Il a tiré un petit couteau trapu d'un tiroir et il est sorti à grandes enjambées. En courant derrière lui vers le camion, je me suis rendu compte que j'étais épuisé.

La biche n'avait pas bougé, Selfrid la retournait déjà sur le dos, je tenais la lampe. Il l'a enjambée, l'a empoignée par le cou, a enfoncé le couteau dans le sternum et lentement, sans hésitation, il l'a fendue en deux. Ça avait l'air presque facile, mais je voyais son biceps gonfler sa chemise. Il a décollé la peau du ventre, coupé plus creux, sorti un sac bleuté, rond et luisant avant de plonger les deux mains dans la bête. Il a tranché une série de tubes, l'a retournée sur le côté, et le fruit de ses entrailles s'est répandu au sol.

Étonnant ce qu'un petit cervidé bondissant peut contenir…

On est rentrés, on l'a suspendue au frais, dans le cabanon.

Seul sur le quai de la gare. En face de moi, au sud : le seuil des plus vieilles montagnes du monde avec dedans ma forêt, ma cabane, mon hamac… Je vais m'ennuyer du lac. Pourquoi au juste j'ai dit oui ? Je déroule le fil des événements. Skype qui clignote, je clique, le visage d'Alexis en gros plan de gars désespéré :

— Cinq cents, Max, ils ont commandé cinq cents fenêtres ! De classe un ! Et le gicleur s'emboîte pas !

— Envoyez-moi ça, je vais voir ce que je peux faire.

Sa pose de crucifié ostentatoire, les yeux tordus vers le plafond :

— Calvaire, Max ! On n'y arrivera pas dans les délais ! On a besoin de toi, vieux !

— D'accord, j'arrive !

Voilà comment on réussit à extraire un gars de sa colline au paroxysme de l'été.

Je m'avance sur le quai, regarde les rails, respire leur bon parfum d'arsenic. Deux barres de métal parallèles, vissées, boulonnées, arrimées au bois avec de gros clous de forge. Là-bas, tout au bout, elles se rejoignent dans une belle illusion d'optique. Avec ce qui est arrivé hier, j'avais le goût du train…

Rappeler pour dire *j'arrive pas*, j'y arrive pas.

Une semaine à respirer les gaz de la ville, ça va pas me faire mourir. La pierre promise de Selfrid saura attendre sans trop se faner, et au moins ce matin, je suis allé saluer le lac. *Brille sous le soleil pour moi, mon lac.*

Selfrid qui arrive, l'autre jour, l'air dépité : « Sais-tu comment y disent, au village, quand y parlent de ton lac ? *Le crachat*, c'est ça qu'y disent, pis moi, ça me dérangerait pas que tu y trouves un autre nom. »

Il aime nommer les choses. Tantôt, il s'est décoincé à la dernière minute. Je descendais du camion quand il a repris sa voix de vieux cowboy pour me regarder droit dans les yeux :

— Bon voyage, Max, crains pas, j'vas m'occuper de la viande, mais tiens ça mort.

— Je vais le dire à tout le monde, à Montréal.

Ça l'a fait rire. Enfin.

J'entends un son assourdissant, c'est une dame qui s'en vient sur le trottoir avec une valise munie de roulettes apparemment en béton ; le vacarme se mélange à celui du train qui arrive. J'encaisse la traînée de vent, la tête haute, les cheveux en panique.

J'embarque avant de changer d'idée.

## Foyer

Amalgamée à son corps dans la douceur des draps, j'ouvre les yeux. Les chiffres bleus rayonnent dans la pénombre des onze minutes qui me restent à savourer le matin délicieux. Concave, convexe : mes pleins dans ses creux, deux amandes dans la même coquille.

Jim pousse un soupir, sa main glisse sur ma hanche, ses genoux s'encastrent sous les miens, et il se rendort. Une aiguillette de soleil se faufile entre les rideaux. À chacun de mes souffles, le duvet blond de son bras s'incline comme du blé sous le vent. Le sommeil caresse mes paupières de ses plumes, mais je résiste ; j'ensalive le nectar de l'instant.

Bientôt nous allons vivre ensemble, Jim et moi. J'ai hâte. On a beaucoup fantasmé là-dessus, mais depuis une semaine, je suis passée à l'étape *voyons voir*. Je vais nous le trouver, ce quelque part rêvé, et en faire la surprise à mon chum. Un lieu plus grand, un lieu à nous… Il existe. Il faut chercher.

Hier, dans la Petite Italie, j'ai vu un cinq pièces dans une rue que j'adore. Au téléphone, l'homme avait une belle voix grave, il m'a posé plusieurs questions avant de me fixer rendez-vous. J'étais en avance. Assise sur les dernières marches d'un escalier en colimaçon, j'ai vu des jeunes revenir de l'école, une grappe colorée de jeunes humains dans l'ombre mouchetée des arbres ; ils se partageaient un sac de chips orange fluo. Ils sont passés près de moi en grande conversation, j'avais allumé mon ouïe supraconductive, mais je n'ai rien compris de ce qui se disait… Il me manque la fonction traduction extragénérationnelle. Je m'ennuie de ma nièce Colombe chérie que j'adore, que j'ai gardée tout bébé, parfois mon goût de la voir est si grand... Aujourd'hui, elle grandit loin de moi.

À l'heure exacte, j'ai appuyé sur le bouton de la sonnette. Un grand gaillard gris a ouvert la porte de sa maison, et le fumet délicieux du cendrier refroidi a rempli l'atmosphère – c'est la prochaine saveur de Doritos: *Boucane froide à la fleur de sel.* Ses cheveux, sa peau, ses habits, tout était gris. Il m'a regardée de biais et de haut: « C'est pas toi à qui j'ai parlé pour le loyer ? » J'ai tendu la main : « Oui, bonjour : Joëlle Pellerin. Vous allez bien ? » Ma main polie, suspendue en l'air, ses yeux exorbités, son ton offusqué : « À vous entendre, au téléphone, vous êtes un genre de femme d'affaires avec sa compagnie, et là, qu'est-ce que j'ai devant moi ? Une étudiante ! Je les connais, les étudiants ! Ça s'installe à cinq, six colocataires, ça met de la musique forte, ça tape sur des casseroles ! » Sa peau grise a viré au vieux rose laiteux, sa belle voix grave contrariée d'avoir dû grimper dans des aigus, s'est transformée en toux pleine de gravier.

— J'ai trente-deux ans, monsieur.

— Qu'est-ce que tu racontes là, toi ?

— Voulez-vous voir mes cartes ?

— Certainement que je veux voir tes cartes ! Tu parles, trente-deux ans !

C'est le genre de chose qui m'arrive. Constamment. Si ça se trouve, je suis plus vieille que lui. Mon permis de conduire a déclenché un mécanisme au niveau de son cou, un mouvement répétitif de derrick en forage, de la photo à moi. J'ai pris mon air de photo : une fille ordinaire, avec beaucoup de cheveux et beaucoup de sourcils.

L'appartement sentait bon, mais c'était un long corridor de portes menant à une cuisine sombre, et ça, je ne peux pas, vivre sans lumière : impossible ; c'est mon côté végétal, je déprime, je me fane, m'étiole… Non merci, monsieur Gris.

Je commence à peine mes recherches. Je vais nous le trouver, notre chez-nous : un rez-de-chaussée, peut-être, avec la possibilité de faire un jardin, une ruelle avec des enfants qui jouent… Même si on n'a pas d'enfants, ça veut pas dire qu'on n'aime pas en avoir autour. Un jour, Jim m'a demandé si je voulais des enfants ; ça arrive, à un moment donné, dans une relation. J'ai répondu : « Oui, je crois que j'en veux, mais je ne suis pas certaine de pouvoir en avoir. » Certains hommes sont très déçus en entendant ça. D'autres, comme mon ex, Charles-Antoine, un médecin, s'attaquent de front au problème médical. Il m'a recommandé un collègue. J'ai passé trois millions de tests et ils n'ont rien trouvé qui clochait : « *A-1* sur toute la ligne », a dit le jeune doc aux dents tellement blanches qu'elles avaient l'air bleues. Comme il était anglophone, c'était encore plus triomphant, ça faisait : *Hey-one, all over!* Charles-Antoine était si heureux. Il voulait une famille. On l'a-tu fait, l'amour… On s'est quittés il y a trois ans, j'ai su qu'il a maintenant une petite fille et un autre bébé en route. C'est dommage, je ne le vois plus, pour une raison obscure, sa blonde me déteste. C'est pas grave, j'ai changé de cercles d'amis. Jim, lui, a déclaré qu'il ne voulait pas se reproduire. Quel bon *match* : la non-fertile avec le gars qui ne veut pas d'enfants. Enfin, j'ai pu arrêter de m'en faire avec ça. On n'est pas *obligés* d'avoir des enfants, quand même. Qui a dit : *L'enfant est la mort du couple*? Jean-Paul, je crois. Le truc qui accroche, c'est que mon corps ne comprend pas Sartre, mon corps, lui, il en veut un, bébé. *Écoute, Body : t'arrêtes de vouloir un bébé, c'est clair ?*

Je pourrais aussi bien crier : *Fleuve, arrête de couler…*

C'est à cause de l'horloge bio, elle sonne à chaque lune pour la perpétuation de l'espèce et on ne parle pas de petits ding-dong cristallins, ici, non, non. L'horloge biologique, elle cogne raide : *Bagne ! Bagne ! Bagne !* Sans blague, tous les mois la même histoire, et tout ce sang versé pour rien.

Je nous prépare du café et des rôties dans la petite cuisine de Jim. Hier, il pleuvait à boire debout, mais aujourd'hui il fait un temps magnifique. « Gêne-toi pas, mon beau soleil, entre ! » J'ai parlé à voix haute, je me fais rire moi-même. Je me retourne vers Jim qui arrive, l'air soucieux. Je propose :

— Si on faisait un pique-nique dans le parc, ce soir ? Ça fait longtemps…

— Je te l'ai dit, je vais à Ottawa, aujourd'hui.

Je ne me souviens pas qu'il me l'ait dit, mais j'oublie. Il voyage beaucoup ces temps-ci, je n'arrive plus à suivre. Les grandes entreprises ont besoin de magiciens comme lui pour déboguer leurs systèmes et contrer les pirates du Nouveau Monde.

Il prend ses messages, je feuillette un magazine. Les meilleures photos de presse de l'année sont tellement tristes, j'ai du mal à avaler. Il me touche l'épaule et va préparer son sac. Il n'aime pas partir aussi souvent, je ne sais pas ce qu'on va faire, c'est de plus en plus dur. Je range un peu.

Sur le pas de la porte, et ensuite sur le trottoir, il voulait me dire quelque chose, mais le temps a manqué. Le temps manque toujours. L'amour, c'est pas toujours les mots, c'est les gestes. On s'est embrassés, je me suis calée dans ses bras, dans son odeur de cuir et d'herbe coupée. Il m'a serrée fort.

Encore sous le charme de la liberté de mouvement du travailleur autonome, je retourne chez moi les bras ballants et le pas léger. Il fait chaud, il vente. Quelle chance d'être dehors le matin, de pouvoir marcher sous le bleu du ciel sans peur d'être en retard !

Il y a trois mois, j'ai quitté l'entreprise pour laquelle je bossais depuis cinq ans. Le plan de match de cette boîte consistait à accepter des marées de mandats et à les déverser sur les graphistes jusqu'à ce qu'ils se noient. Sur le côté de l'écran, un thermomètre gradué du vert au rouge indiquait le temps alloué à chaque projet, il ne fallait jamais être dans le rouge. Les yeux en compote de pommes, vous produisiez du matériel graphique : des affiches, des panneaux, des menus, des pubs de frigidaire, d'armoires à cuillères et de rideaux de fer…

Ce printemps, quand les feuilles bombaient le torse, quand les fleurs faisaient éclater leurs formes charnelles et que tout était beau et vert, moi, j'étais sous les néons, cernée de cloisons beiges, à cliquer à longueur de journée comme une télégraphiste en zone de guerre. Obnubilée par le sentiment grandissant que ma vie se déroulait sans moi, j'essayais en vain de ne pas regarder le maudit thermomètre, de ne pas voir mes minutes se transformer en gouttes de mercure dans l'éprouvette du temps.

Un lundi, dans ma pile, j'ai trouvé une pub à faire pour les Forces armées canadiennes, un simple montage avec l'image déjà fournie d'un char de combat appelé *Léopard*. Le texte se voulait jovialiste et commençait par : *Feu !* Les munitions du blindé donnaient à l'artillerie *la possibilité de détruire des cibles avec une très grande précision*.

J'ai eu un déclic de type *boum !*

Mes clics ne pouvaient pas servir à ça. J'ai démissionné, je me suis fait un site, j'ai regroupé mes illustrations, mes photos, tout ce que *moi*, je trouve beau. Ça commence à marcher, mon affaire, on me confie des mandats graphiques chaque semaine.

À l'angle de deux ruelles, une femme cueille les tomates cerises qui grimpent sur le treillis d'une tonnelle, une jolie dame, toute ronde dans sa robe à fleurs. J'ai le goût de faire une photo ; elle se retourne en souriant, et au lieu de lui voler son image, je lui rends son sourire. Je dois cesser de vouloir tout enregistrer, faut pas oublier son disque dur mental, il ne demande qu'à se remplir d'images, lui aussi.

Ça fait du bien de travailler pour soi, à trente-deux ans, il était temps. Jim vient d'en avoir quarante, il est passé par là et m'encourage. Il y a deux semaines, je lui ai patenté une fête. Ce n'était pas une surprise, on faisait ça chez lui. J'ai fait les courses le matin, le ménage une partie de l'après-midi et, en assemblant les antipasti, j'ai constaté que j'avais acheté beaucoup de bouffe… Je me suis mise à avoir peur que personne ne vienne. J'ai tapé un message au groupe, petit texte rempli de points d'exclamation, avec des expressions comme *chouette !* et *extra !* Aussitôt que je l'ai eu envoyé, je l'ai regretté.

Mais trop tard.

Je m'en étais fait pour rien, on était quinze ! Tout le monde avait apporté un truc à manger et une bouteille ; Dana était là avec son nouvel ami, un beau Brésilien. Mon chéri est arrivé le dernier, claqué par le boulot, il a eu l'air surpris, content et fatigué. Il fallait vraiment qu'il mange. Le beau Brésilien a branché son iPhone sur l'ampli, on s'est mis à danser, et là c'était *extra* pour vrai ! On riait comme des fous, Satranga soulevait Dana au-dessus des têtes, Malcom faisait la même chose avec moi, on avait chaud, on avait soif. Un beau party. Jim était vanné, pauvre lui. Jeff lui tenait compagnie avec la bouteille de whisky. La musique s'est calmée, est devenue langoureuse. Greg et Jules se sont collés pour un slow, Malcom m'a prise par la taille et on a dansé collés nous aussi, il respirait dans mes cheveux et me murmurait des répliques de Gainsbourg comme s'il les inventait. Il est comique, si théâtral... Il est parti le dernier, l'air triste de me quitter, en déclamant : « Si vous saviez, si vous saviez à quel point je vous aime ! »

J'ai fermé derrière lui et me suis retournée sur le désordre grandiose des lieux. Jim, étendu sur toute la longueur du sofa, avait une main dans le vide, et l'autre sur le front. Il a ouvert un œil, sa voix était lente :

— C'était *hyper* bondé ! T'as vraiment invité *tout le monde...*

— Un palace aussi vaste, ça se remplit vite !

Je me suis laissée tomber dans le fauteuil à côté de lui. La petitesse de nos appartements qui revenait une fois de plus sur le tapis. L'ivresse m'a fait rêver à voix haute, je me suis mise à parler d'espace, de lumière, j'ai failli trop en dire, gâcher ma surprise. Mais, quand j'ai relevé les yeux, il dormait. J'ai rangé le bordel. Après, je l'ai réveillé, et on s'est effondrés dans le lit.

Au milieu du parc La Fontaine, je tombe sur une gang de filles en plein entraînement cardio poussette, et ça ne me fait rien. Rien du tout.

Je visualise le parcours accompli. Je suis plus forte qu'avant parce que maintenant, j'aime ma vie. Quand j'étais avec Charles-Antoine, les beaux enfants des autres me rendaient triste. Non, la vérité c'est que ça m'arrachait le cœur pour me le fendre en deux. Ce genre d'envie là, c'est un diamant dans l'œil, ça te brouille la vue et ça fait mal.

Les petits m'aiment facilement, je ne sais pas pourquoi, mais avec les bébés, j'ai un truc, je les regarde en souriant directement dans le fond de la pupille, et ils arrêtent de pleurer. *A-1*, il a dit, le médecin. Jim et moi, on ne met rien depuis deux ans, la possibilité existe peut-être... Mais je suis certaine que, *si jamais* je tombais enceinte, Jim serait content.

On ne peut pas s'empêcher d'imaginer un peu, c'est quand même spectaculaire : façonner une autre personne avec de l'amour !

Il aurait les yeux bleus ou verts, il serait issu du croisement originel de nos regards, du délice qu'on a eu d'être ensemble dès le début, dès la première fois où il m'a prise par la taille et où tout mon corps souriait. Dans mon ventre, un germe d'être humain pousserait comme une plante. Pas besoin de me dire : *Bon, aujourd'hui je fais les yeux, demain je commence les jambes* – quelqu'un que je ne connais pas se fabriquerait tout seul à l'intérieur de moi. Un jour, dans une grande douleur, mon corps s'ouvrirait pour laisser entrer mon enfant dans la vie, et il me regarderait comme jamais personne ne m'a regardée.

L'horizon reculerait, l'angle s'élargirait avec une perspective de prolongement, doublée d'une responsabilité éternelle. Le corps rebondi de mon enfant serait plus précieux que la prunelle de ma vie, et au bout d'une heure, j'aurais oublié ce qu'était le monde *avant*.

Ce que je peux être idéaliste, quand même : mon bébé parfait, sans cris ni pleurs, sans pipi ni caca. Je crois que j'aime surtout l'*idée* d'en avoir un… Le sacrifice inconcevable d'élever un enfant, est-ce que j'en serais seulement capable ?

Et l'état du monde. L'as-tu vu, l'état du monde ?

Voilà mon immeuble, rue Papineau. Vu de l'extérieur, ce n'est pas terrible, mais j'aime bien mon studio. Quand j'entre, le soleil coule à flots dans la pièce. Je devrais ranger un peu, il y a des livres absolument partout, j'ai trop de choses, on accumule, on accumule. Bon, côté messages : aucune urgence à l'horizon.

Dans le panier à fruits, une pomme solitaire s'ennuie. Je saute sur le prétexte pour ressortir, il fait trop beau. J'enfourche Furi, roule jusqu'à ma fruiterie préférée, reviens chargée à bloc, le vent en pleine face. Affamée, je mange un sandwich aux tomates toasté-laitue-basilic et me lance dans le projet de couture que je remets depuis le printemps : une housse d'édredon. J'assemble de grandes bandes, toutes blanches, mais dont les motifs de trame diffèrent. *Un camaïeu de blancs, très chère, quel raffinement !* Parfois, on dort ici, et j'aime qu'il y ait du nouveau quand Jim vient.

Sur le canevas initial de désordre, j'ai fait mousser un joli chaos. Acculée, je m'attaque au ménage en écoutant Radio-Canada, l'émission culturelle que j'ai manquée ce matin, et quand elle se termine, la place est impeccable.

Bon, j'ai faim.

Le ciel est jaune-orange quand je déplie enfin mon ordi. Je vais travailler le logo que j'ai commencé pour Norbert, son entreprise de champignons sauvages, *Mycoclimat*, ça s'appelle, une chouette patente ce sera, ce magasin-là. Je tourne les lettres de tous bords tous côtés, joue avec la forme, le sens, l'articulation ; ça s'en vient bien, mon affaire.

« Aaaaah !!! » La sonnerie de l'alarme m'a fait sursauter. Maudite cloche apocalyptique qui fore les tympans. C'est trop chiant, vraiment, c'est trop ! Chaque semaine !

J'ouvre mon coffret à silence et enfonce deux bouchons éponges tout neufs. Le cri strident et granuleux diminue, comme si on lançait du foin par-dessus, et lentement il s'éloigne, caché avec Astérix au milieu de la meule, dans une charrette tirée par des bœufs.

Ça fait un mois que ça dure, ces petits filous imbéciles qui déclenchent l'alarme à tout bout de champ. Il faut sortir dans la clameur démente, descendre dans le hall, attendre les paumes écrasées sur les oreilles que le pompeux concierge s'amène. Un cycle lunaire plus tard, il arrive en se dandinant, sa clé magique à la main. Il aime qu'on le regarde décrocher le téléphone rouge, ça le fait se sentir spécial. Il arrête le tonnerre de la sirène et prend sa voix de Dieu le Père pour parler aux pompiers ; elle résonne dans la cage d'escalier pendant que chacun rentre chez soi.

L'autre jour, j'ai failli pincer un des p'tits bandits qui déclenchent l'alarme. La sonnerie retentissait pendant que je lui courais après, mais il a couru plus vite que moi. Un jeune maigrichon... Pourquoi faire ça ? Il s'ennuie, ça doit être ça : l'incroyable pouvoir de l'ennui... Et qu'est-ce que j'aurais fait si je l'avais attrapé, han ? Je lui aurais tordu le bras ? Je l'aurais terrorisé en lui criant dessus ?

N'empêche, du temps de mon adolescence, il me semble qu'on s'ennuyait avec moins d'acharnement.

Je regarde la dernière version du logo. Je crois que je suis devant quelque chose. Je décline ça en trois couleurs, puis en noir et blanc, et ça fonctionnait toujours, alors, je l'envoie à Norbert.

Pour me récompenser, je vais faire un tour sur Google Earth. J'adore ça : voir la Terre tourner dans le silence spatial, arrêter son mouvement de mon petit gant blanc, la faire pivoter, double-cliquer sur le Québec et plonger en chute libre ! La vitesse est vertigineuse au début, puis ça ralentit d'un coup, comme un parachute qui s'ouvre. Je visite Deschaillons-sur-Saint-Laurent, file le long du fleuve, survole une rivière méandreuse.

Si j'étais responsable d'un petit coin de planète, j'en prendrais soin, je planterais des vivaces rustiques qui aiment la neige et les canicules, il y en a tant : la mélisse, l'agastache, la livèche, l'estragon, les pensées sauvages... Je me verrais bien faire pousser mes propres pensées sauvages, ha, ha ! Jim n'a jamais vu à l'œuvre mes talents de jardinière. Ces temps-ci, il est préoccupé, il travaille trop, il s'en fait pour l'argent. Mais, avec l'appartement commun, on va économiser sur tout! Soudain, je sens la fumée. La souris se fracasse sur le sol, je cours à la porte, elle est tiède, et par le judas, je vois un lambeau de fumée. Un long cri jaillit de ma gorge et me porte d'un seul souffle vers mon ordi, que j'arrache de son fil. Je survole la pièce en sens inverse, accroche mon sac au passage, prends une grande respiration et m'engouffre dans le corridor emboucané. Je cours en apnée jusqu'à la porte de secours, pousse la barre, et dehors il y a de l'air. Je dévale les marches de métal à plein régime. Au dernier palier, un gars traîne deux sacs-poubelles pleins de stock et me bloque le chemin. Il dit quelque chose que je ne comprends pas, je tire sur sa manche, lui montre les volutes de fumée opaques qui s'échappent d'une fenêtre en vagues lourdes et me faufile, continue à descendre.

Le sol me paraît plus solide que d'habitude, je cours, je fonce dans la ruelle clignotante où des rayons rouges, bleus, jaunes colorent la fumée et étourdissent les murs comme dans un *rave* des années quatre-vingt-dix.

## Effets secondaires

Je sors du dédale des couloirs frigorifiés de la gare et débarque dans le magma calorique du centre-ville de Montréal.

Écrasé de chaleur, j'avance à l'ombre des tours, étranger à cette ville où j'ai vécu quinze ans. Pourtant, rien n'a changé, la foule est toujours là, sur les sentiers de béton, dans le branle-bas des achats, cernée par les bagnoles…

L'air se terre quelque part, encapsulé sous l'asphalte. Aux intersections où nous nous entassons, le soleil se pose sur nos épaules comme une plaque de métal brûlant. Tout est lisse et rutilant, le miroitement attaque le cristallin. Je suis le seul à me promener les yeux nus. Non. Devant moi, un petit blond lutte contre les rayons ardents, les poings devant les yeux, dans une poussette propulsée par une mère munie de verres fumés anti-balles.

Les femmes sont superbes, je me laisse porter par le ballet des jambes en sandales. Arrivé au coin de Berri, je pense à ceux qui m'attendent, un sentiment aussi ancien que neuf, et descends dans les profondeurs de la Terre où une embarcation pneumatique me dépose au centre de l'île.

Alexis bondit comme un kangourou, s'appuie sur mes épaules pour sauter plus haut ; sa cravate me fouette le nez à chaque passage : « Maxime Rivière ! Un an et demi qu'on t'a pas vu la face ! » Tom fait pivoter son fauteuil pour me serrer la main : « T'es là, vieux. C'est bon de te voir. » Samia, notre réceptionniste chérie, sort de son bureau en lançant ses youyous de Mamma marocaine et me prend dans ses bras comme si je revenais vivant d'une mission périlleuse. Moi qui n'ai pas été touché depuis des mois, je suis servi.

Ils ont fait des rénovations, un mur a été percé, on peut maintenant voir l'équipe qui bosse un étage plus bas, chacun devant son ordi ; je reconnais la moitié des gens, les autres sont nouveaux. Alexis ne tient pas en place : « Génial ! Maximus Caillus est là ! Il fait la forêt buissonnière ! Ha, ha, ha ! » Content de sa blague, il se jette dans une chaise à roulettes et traverse l'espace en criant : « Bonne fête en retard, mon espèce d'ours mal léché ! T'as faim ? On sort bouffer ? » Alexis : ingénieur de génie, adolescent à vie.

Nous sommes six, nos voix résonnent dans le corridor. On s'entasse dans l'ascenseur sans cesser de parler. Je retrouve mes réflexes de gentleman : « Samia, c'est superbe, tes cheveux. » Elle est aux anges : « J'en avais assez du gris ! Oh, j'accepte de vieillir, tu sais, mais pas au point d'avoir l'*air* vieille ! » Et elle éclate de son rire de jeune fille. Dans le fond, je me prive d'eux… On se déverse dans la rue, dans l'absence d'air et le bruit des moteurs. Tom roule dans son fauteuil à côté de moi, concentré sur les crevasses du trottoir, et quand il relève la tête, son sourire franc et réjoui me rentre dedans comme une épée bien affûtée… Tom, le gars le plus équilibré que je connaisse.

Un soir, il m'a interprété tous les types de regards que reçoit un handicapé quand il sort de par le vaste monde. Il y avait le coup d'œil *Pauvre vous*, attendri, hyper compassionnel ; le regard *compréhensif*, projeté en plein centre de la pupille, qu'il traduisait par : « Vous êtes quand même une personne à part entière, et je le sais… » Tom riait, même en m'imitant un sinistre : « Vous en prenez large. » Il avait inventorié toutes les nuances, c'était comme entendre un Inuit vous parler de la neige.

Il m'arrive de l'imaginer filant sur l'eau bleue au bout de son cerf-volant, pirouettant par-dessus les vagues avec sa planche, mais je l'ai toujours connu assis. Il avait dix-huit ans, le jour où ils sont partis pour cap Hatteras, les planches amarrées sur le toit, le goût du vent emprisonné dans les muscles. Ils ont roulé quatorze heures. Tom dormait sur la banquette arrière, ils étaient presque arrivés quand le chauffeur s'est endormi, lui aussi. Tom s'est réveillé avec un demi-corps valide et l'autre moitié à trimballer pour le restant de ses jours…

— T'as l'air en forme, Tom.

— Mais *je suis* en forme ! J'ai joué au basket tout l'hiver. Hé, Max, sans me vanter, je suis meilleur compteur de l'équipe !

— Ça m'étonne pas.

— Toi aussi, t'as l'air en *shape, Body-Boy*.

— Je m'occupe de mon bois, je construis des trucs.

— Tu commences à être bien installé ?

— Ça avance, vous viendrez me voir, Émilie et toi !

En disant ça, je me rends compte que c'est la première fois que je propose à quelqu'un de venir me voir. Dans la même seconde, je prends conscience qu'il faudrait que je construise une passerelle pour Tom… Oui. Une belle passerelle menant à une belle terrasse… Pourquoi j'y ai pas pensé plus tôt ?

« Comment elle va, ta belle Émilie ? » Tom a un sourire de demi-dieu pour me répondre : « On l'a pas crié sur les toits, mais elle est enceinte, et c'est pour bientôt. »

Le restaurant est indien, la serveuse, nonchalante. Elle balaye le plancher de ses sandales vannées et nous tend le menu ; elle a un joli ventre rebondi, de petits seins ensachés dans la soie jaune comme des oranges précieuses. Je suis affamé.

C'est un établissement *Apportez votre vin*, et Alexis a prévu le coup, son sac à dos semble produire des bouteilles. Assez vite, la conversation devient effervescente, on parle du barbecue annuel du bureau, de la sortie du court métrage de Catherine, de la pendaison de crémaillère de Samia… La serveuse rapplique avec les plats en balançant les hanches. On partage tout, c'est bon. Je n'en reviens pas d'avoir attendu si longtemps avant de faire un saut ici. Je ris. Surtout, je les regarde rigoler, ils sont doués ; mes amis ont seize ans, et moi, cent… Peu importe, je suis content d'être là.

Ils ont filé un à un, rejoindre leur vie. Il ne reste plus qu'Alexis et moi. « Youpi, mon homme ! C'est vendredi ! » Je le regarde droit dans les yeux : « Te souviens-tu au moins pourquoi tu m'as fait venir ? *Vite, vite, Max, cinq cents fenêtres, raccord incompatible, big problems… ?* À vous ! » Il lève un sourcil, pose la main sur mon bras, sort son stylo de sa veste en pitonnant du pouce pour dégainer la mine et se met à gribouiller sur la nappe de papier une des solutions que j'avais envisagées. En dix secondes, voilà la nouvelle pièce d'emboîtement du gicleur, parfaitement dessinée, à côté d'une éclaboussure de *palak panner* et d'une tache de piment fort. Et mon Alexis, en démarcheur ténor : « Ça va juste être plus solide ! » Bon vendeur, il ajoute avec une petite chorégraphie des doigts de la main droite : « C'est sûr, il va falloir étirer les délais, mais en réduisant un peu la facture ça se négocie. » C'est sûr.

Son portable fait entendre un son de victoire auquel il répond illico avec une face de *commedia dell'arte : Pronto !* Le coup monté de bonnes intentions devient palpable quand il me tend l'appareil avec son sourire de fin renard : « C'est pour toi, chéri. »

« Salut, Maxime Rivière, c'est Béa ! » Une voix de femme, un peu lascive : « Comment tu vas ? » Je ne la replace pas. Je laisse rouler : « Ça fait un bail, quand même ! Vos fenêtres autonettoyantes, ça marche toujours ? Tu te réfugies dans la brousse ? Moi aussi, figure-toi ! Absolument, à Saint-Sauveur ! » Ça me revient : Béatrice Jobin. Il y a trois ans, je la voyais de temps à autre, puis elle s'était trouvé un mec régulier – *plus rigolo que toi !* Pas longtemps après, on s'était croisés à la buvette à Chevalot et elle m'avait carrément sauté dessus... En se rhabillant, elle avait appelé ça une *rechute.* Pour le moment, elle me raconte de long en large le spa de luxe dont elle est devenue gérante : « ... *absolument* sublime pour la peau, l'élimination des toxines, la relaxation... » J'ai le temps de me remémorer certains détails de son anatomie. Puis soudain :

— Écoute, Max, il faut absolument que je te parle, je veux absolument te voir.

— Absolument.

De nouveau seul dans les rues en surchauffe, un peu barbouillé par le vin. En me quittant, Alexis a glissé dans ma poche deux billets pour un concert demain, au Métropolis. Je réintègre la foule qui se déplace à pas lents. Le soleil est descendu se planter dans nos yeux, mais il brûle encore de tous ses feux. J'entre dans une boutique m'acheter des verres fumés.

Béatrice est au bord de la terrasse, positionnée pour être vue des passants. Je l'embrasse et m'assois à l'ombre pour avoir vue sur elle. Elle est belle, et la canicule a ça de bon : les jupes sont brèves, et les vêtements, légers. Elle s'anime en continuant de parler de son nouveau travail, ce spa absolument génial et toutes les vedettes qui vont là. Elle lance une flopée de noms, j'écoute ça comme de la poésie abstraite en produisant les sons nécessaires au flot de sa logorrhée.

L'éclairage est changeant, je crois avoir entrevu la rondelle d'un mamelon… Derrière mes verres foncés, je me délecte de la douceur de son décolleté en réfléchissant au phénomène de glisse dans un tunnel de cyprine, un peu sous le choc de la puissance de mon désir. Je prends une gorgée de bière, l'air de rien, alors que le sang me cogne de partout. Ça me sidère… Pouvoir rester des semaines sans envies claires et d'un seul coup, cet appétit féroce qui vous saute dessus, qui vous emprisonne dans ses pattes comme un ours… Je suis prêt à faire tout ce qu'il faut pour avoir le privilège de m'engouffrer dans la première femme qui voudra bien de moi. Béatrice envisage peut-être de *rechuter*? Elle est intarissable… Tiens, elle est en train de parler de son ex, elle décline une liste : « Pantouflard, campagnard, absolument prévisible et radin… En plus, j'étais allergique à son chat ! » J'en déduis qu'elle se magasine un homme dynamique, citadin, imprévisible, plein aux as et qui n'a pas de chat. Pour ne pas créer de faux espoirs, je m'invente trois chats et lui fais remarquer que je ne suis ici que pour quelques jours, car je dois faire les foins et couper mon bois de poêle.

Elle propulse sa poitrine vers mes yeux : « Tu es descendu quelque part ? » Message enregistré. « Justement, tu m'y fais penser. » De mon téléphone, je réserve dans un hôtel doré. Elle sourit, on prend un taxi, je peux enfin la toucher.

Dans la chambre ça ne traîne pas, on se savonne sous la douche, on se jette sur le lit.

Là, je ralentis, je la masse, l'hydrate, la kinésiote, la savoure, avant d'aborder l'origine du monde. Son orgasme est sonore, spasmodique. À sa suite, je ne suis qu'une chose vibrante, la dopamine me propulse dans un vide sans douleur où je flotte comme un gaz volatil, heureux et sans poids…

Soudé au matelas, absurdement nu, un vide de la grosseur d'un camion assis sur la poitrine, broyé par l'inconsistance du lien.

Du rien.

Béatrice est retournée sous la douche. Elle reparaît, maquillée et laquée, et me regarde, la tête penchée de côté :

— Max, t'as une petite mine tout d'un coup. C'est quoi, aussi, ton trip ? T'en aller tout seul dans le fond du Québec profond ?

— Un trip d'autarcie.

— L'autarcie... Mmm, rafraîchis-moi la mémoire, c'est être ermite ?

— T'as un territoire, tu subviens à tes besoins dans ce territoire-là.

— Un genre d'autisme volontaire, quoi !

Elle éclate de rire, s'assoit sur le lit et met sa main sur mon plexus solaire. « Max, Max. Tu ne peux tout de même pas t'enterrer pour l'éternité ! C'est bon, là, t'as assez donné. » Maintenant que j'ai répondu aux pulsions de mon cerveau limbique, je peux à peine la supporter. J'ai besoin d'être seul.

Pour retrouver cet état béni sans être un mufle fini, je la sors. Dans la rue, elle est contente, elle rit, sourit, à l'affût de toutes les surfaces susceptibles de lui renvoyer son reflet. Je l'emmène dans son bar préféré où je la connecte à ses amis branchés, achète une bouteille de champagne et m'éclipse à l'amérindienne.

Marcher lentement, penser lentement.

Un incendie fait rage au coin de la rue. Je coupe par le parc La Fontaine, trouve un vallon tranquille au bord du lac et m'étends sur la pelouse. Ah, c'est vrai, ici, il n'y a pas d'étoiles.

L'amour est une drogue forte, on devient vite intoxiqué. Quand, d'un seul coup, on est privé de sa dose, les effets secondaires sont foudroyants, on peut devenir abstinent, ivrogne, salaud, ermite à temps plein ou à temps partiel. Avant je faisais l'amour à ma femme, maintenant, je baise.

L'aube se pointe. J'ai marché encore longtemps pour repousser l'échéance. Je gravis les marches qui mènent à notre appartement. Je devrais le vendre. Quand je passe cette porte, une fatigue sans nom me tombe dessus comme une chape de plomb. Il y a trois ans, ce lieu était rempli de plantes vivantes et de fleurs fraîches. Il y a trois ans, ce lieu était rempli de Félicia... Avant, j'avais l'euphorie tranquille, j'étais cet homme moderne et confiant qui tourne le robinet sans s'étonner d'y voir couler chaque fois une eau limpide.

Je ne suis plus ce gars-là.

J'ouvre la porte de la chambre d'amis, le sommeil me souffle dans le cou, plus grand, plus gros que moi. Il me cogne d'aplomb, et je tombe.

## Herbe coupée

En sortant à pleine course de la ruelle enfumée, j'ai foncé dans un ruban jaune que j'ai déchiré comme une championne de marathon. La seconde suivante, un géant muet m'a saisie par la taille et m'a escortée hors du périmètre sécurisé comme si je ne pesais rien.

Debout de l'autre côté de la rue, au milieu des gens aux visages rouges, je regarde brûler l'immeuble. Pour brûler, il brûle, on dirait qu'il a été conçu pour ça. Il flambe dans la nuit, fier de sa performance. Les pompiers s'activent comme des abeilles jaune et vif-argent, manient en vrais pros leurs serpents cracheurs d'eau, et je ne peux pas m'empêcher de trouver ça beau. Mon calme me sidère, bientôt quelqu'un, quelque part, va crier : *Coupez !* C'est ça, je suis sur un plateau de tournage, dans un docudrame où tout le monde a un rôle, sauf moi.

Oubliée du réalisateur, j'observe l'action. Je connais déjà plusieurs personnages. À côté de ses parents enlacés, la jolie petite fille blonde qui me sourit chaque fois qu'on se croise a la tête enfouie dans la fourrure de son chien et le flatte fébrilement. La vieille dame du rez-de-chaussée que j'ai toujours vue se bercer devant sa télé est assise sur un banc, secouée de longs sanglots qui lui donnent l'air de se bercer encore. Le type brun qui passe ses journées à se faire bronzer dans le parc est debout un peu plus loin, torse nu comme d'habitude, les bras en pales de moulin à vent. Le grand gars que j'ai croisé dans l'escalier est effondré dans l'herbe, l'air épuisé, entouré de sacs, la tête entre deux tours d'ordinateur.

C'est une production de style gothique contemporain. Partout autour de moi, les gens tiennent leur téléphone de manière solennelle, comme un cierge, pour filmer le film dans une belle mise en abyme philosophique… Et moi, potiche de service, plantée dans un terreau d'irréalité, je me demande quoi ressentir.

Il a fallu que ma voisine de palier passe devant moi la bouche grande ouverte sans émettre un son pour que je comprenne enfin : les bouchons ! J'avais encore les bouchons au fond des oreilles, en train de fondre sur mes tympans !

Je débouche dans la clameur des moteurs et le rugissement du brasier. Partout, ça gronde, ça pleure, ça gémit. Giflée par l'eau, la matière broyée par les flammes crépite dans l'urgence de se consumer. Un sifflement strident fend l'air, suivi d'un craquement monstrueux et un palier entier s'effondre dans un fracas de notes disloquées. Juste derrière moi, le pianiste du troisième étage pousse un cri. Ma voisine repasse en hurlant : « Mon chat ! Mon chat ! Avez-vous vu mon chat ? » J'ai chaud, j'ai le vertige. Minuscule, écrasée par l'amplitude de mon inconséquence, j'ai peur de moi. Si j'avais habité la partie ouest de l'édifice, je serais morte asphyxiée… Alors que je cherche depuis des années à me souvenir de la voix de mon père, je l'entends distinctement dans le fracas ambiant : *Joëlle, ma fille, fais attention à ta vie, on en a rien qu'une !* Oh, Papa ! Papa chéri, excuse-moi ! Je pleure, je pleure, je ne peux plus m'arrêter. On met la main sur mon épaule. C'est un policier filiforme qui ressemble à David Bowie jeune, ses yeux sont étrangement pâles et pas de la même couleur. Il désigne le brasier et me demande si j'habite là. « Avez-vous un endroit où coucher ? » Pendant une fraction de seconde, j'imagine qu'il m'invite dans ses bras. Je suis devenue folle. Une femme passe, chargée de bouteilles d'eau, et m'en donne une. Je bois comme au sortir d'un désert.

Je ne suis pas folle, j'étais seulement déshydratée. « Le dortoir au gymnase de l'école ? Ah, c'est gentil, merci, mais j'ai un autre appartement pas loin d'ici. » J'agite un trousseau de clés en dévoilant mes dents blanches de fille joyeuse qui n'a aucun problème sur Terre, capable de décliner son identité avec efficacité.

— Pourriez-vous répéter votre année de naissance ?

— 1984.

— Est-ce que je peux voir une carte avec photo, s'il vous plaît ?

*Of course*, j'en ai justement une dans mon merveilleux sac que j'ai pris avec moi en sortant du foyer, femme organisée que je suis. Ma carte d'assurance maladie dans les mains, Bowie fronce les sourcils. Le doute persiste. Il se penche sur une collègue assise au volant d'une voiture qui lui remet un énorme téléphone cellulaire datant du siècle dernier où s'opère un échange de langue codée : « V2, 305 ? 84 Oui, 40-65 –DFG. » J'attends.

Voilà, c'est bon, c'est confirmé, je suis moi. *Welcome in America.* Bowie inscrit mon nom sur sa liste, me fait cocher quelques cases en me regardant de ses yeux bicolores. Je ramasse mon petit ordi, prends mon sac. Ma vie en bandoulière, ma mémoire sous le bras, je quitte le plateau incognito, comme une star fatiguée après une longue journée de tournage.

À des rues de mon immeuble, des feuilles de livres à moitié calcinées tombent du ciel, s'entourbillonnent avec celles d'un arbre qui en laisse tomber quelques-unes lui aussi, par solidarité. Je revois ma bibli, mes livres chéris, mes dessins… Sur le point de pleurer, je me ressaisis, électrisée par la honte d'avoir failli mourir grillée, comme une belle andouille dans le barbecue. Bon, finalement, je pleure un peu quand même. Je marche. Ça coule sur mes joues et je laisse couler. Ça sèche tout de suite parce qu'il fait beau et chaud, avec juste un petit vent doux. La nuit se fout de mon malheur et ne s'en peut plus d'être superbe.

Je passe devant la vitrine poussiéreuse de l'UNICEF, ornée de la même affiche depuis deux ans, celle de l'enfant africain accolé à cette question : *Que veux-tu être quand tu seras grand ?* Et le petit gars hyper souriant qui répond en lettres majuscules : VIVANT !

Ça me rentre dedans de façon nouvelle.

Je ne suis pas morte, je suis en vie. Je n'ai jamais été aussi en vie de ma vie. J'avance, parmi les vivants, les sens affûtés et tranchants, un mammifère parmi tant d'autres. L'air ambiant est une matière neuve que je traverse comme on marche dans un lac. Je vois tout, chaque chose, la moindre charpie de chose découpée au laser haute définition ; les gens, les couleurs, les pépites d'ombre et l'éclat des lumières, partout, clignotantes et mouvantes. J'ai enfin percé le mur des apparences, je sens la rondeur de la Terre, sous mes pieds, ma belle planète qui tourne dans la grâce de sa suspension au milieu du temps infini et rond rempli de millénaires oubliés et de secondes fugitives.

Et moi, microscopique, poussière sur deux pattes, j'avance sur la courbe de mon astre, la durée de ma vie en poche.

Je marche lentement pour ne pas déplacer la nouvelle assise de ma conscience, ces choses-là sont fragiles. Je dois avoir mon air normal de fille vivante qui trouve ça normal de l'être ; on pourrait même penser que je me promène.

Si Jim était là, je pourrais m'allonger près de lui, me coller, respirer son odeur… Je ne peux même pas aller dormir chez lui… Il y a une semaine, son proprio a changé les serrures, et je n'ai pas la nouvelle clé. J'ai affreusement le goût de lui parler, mais il est tellement occupé quand il travaille à l'extérieur. Et, si je l'appelle maintenant, je vais pleurer, c'est certain ; en entendant sa voix, je vais éclater en sanglots morveux. Il déteste ça. Pas de braillage au téléphone, je vais casser le petit respect qui me reste pour moi-même...

Je n'ai même plus de téléphone, il était sur ma table de chevet branché pour la recharge. Je l'imagine en train de se consumer, petite plaque incandescente aux connexions ardentes.

Je pourrais aller chez Dana...

Enfin, une bonne idée. Avec elle, je vais garder mon calme, elle a cet effet sur moi. J'ai marché au hasard et je suis déjà sur le bon chemin, c'est un signe. Dana, mon amie néo-hippie, sa porte arrière n'est jamais fermée à clé. Elle sort chaque soir, ces temps-ci.

Je vais l'attendre, m'allonger dans son salon, respirer le bois de santal...

Dans la ruelle, j'ouvre la clôture, referme derrière moi. Son chat est assis sur la galerie, comme s'il m'attendait. Je frappe doucement. Pas de réponse. Je jette un coup d'œil, il n'y a que la lueur d'une veilleuse ; ce n'est pas verrouillé. Le chat me frôle les jambes, entre avec moi dans la cuisine silencieuse.

Je me verse un verre d'eau. Appuyée sur le comptoir, je la bois comme on déguste un nectar. C'est si calme ici, le rideau de soie ondule à la fenêtre, la lueur ambrée de la veilleuse danse sur le mur du couloir. Un instant... La lumière *danse*? Une chandelle ?! Je me souviens de cet appartement enfumé par le bâtonnet d'encens que Dana avait oublié, piqué dans la terre sèche d'un ficus... Avec l'impression tenace d'être poursuivie par le feu, je me dirige vers la luminosité vacillante, pousse doucement la porte et je les vois : Jim et Dana endormis, enlacés de tous leurs membres.

Mon corps fait un saut de côté, comme fusillé. L'air cherche à sortir de mes poumons et à y entrer en même temps. C'est impossible, j'ai regardé trop vite, ce n'est pas lui, ça ne peut pas être lui. Mes yeux tombent sur une veste accrochée à la patère. J'allonge le bras, tire sur la manche, et son parfum de cuir et d'herbe coupée m'enveloppe tout entière. Je donne un coup pour arracher la veste, et le pommeau me frappe comme une mailloche en plein front.

Je cours dans la ruelle, les chiens jappent sur mon passage qui empeste le désespoir. Concentré autour de mon œil droit, mon cœur cogne à grands coups pour sortir. L'avenir coloré et vivant échafaudé dans ma candide cervelle se désagrège en lambeaux de cendres derrière moi.

Attablée devant une tasse de chocolat chaud, dans le coin le plus sombre d'un café ouvert vingt-quatre heures sur vingt-quatre, je pleure, mais comme mon œil est enflé les larmes restent coincées dans mes cils, jusqu'à ce qu'une autre vague de larmes les pousse à rejoindre la morve qui dégouline de mon nez.

Le serveur du café est fin, il m'apporte un linge à vaisselle propre rempli de glace et me le tend avec un sourire tordu. Je le vois dans ses yeux : il pense que j'ai un chum violent. J'aimerais lui dire : *Détrompe-toi, gentilhomme, mon fiancé n'est pas une brute, c'est juste un menteur.* Mais, quelque part entre ici et là-bas, j'ai perdu l'usage des phrases de plus de trois mots. Je dis : « Merci, c'est gentil », pose le ballot sur la table, l'entoure de mes bras et me penche pour appuyer mon œil dessus.

La gloire.

Un malheur n'arrive jamais seul. Le malheur, ça travaille en équipe. J'essaie de court-circuiter la vision de leur étreinte, mais elle rebondit sans cesse sur fond de flammes. J'aurais préféré les trouver dans l'amour torride plutôt que dans l'intimité abyssale de ce sommeil amoureux. Je ne peux qu'imaginer ce qui a précédé. J'ai trop d'imagination, ma mère me l'a toujours dit. Je souffre aussi d'aveuglement aigu, communément appelé naïveté crasse.

*Naïveté crasse : pathologie provoquée par le port prolongé de lunettes roses ; myopie volontaire ; état de connerie de celle qui ne voit rien de ce qui se trame devant ses yeux.*

À côté de la description, il y a ma photo.

Les yeux froids, je regarde *Ce film que vous ne voulez pas voir* – un grand cru, prix du Grand Jury à Cannes, document unique, filmé de façon acrobatique avec lentille macro. On voit l'implantation de chaque cil, le tracé sinueux des mains sur la peau, l'enchevêtrement des membres qui s'imbriquent, le trajet brillant de perles ambrées dans la vallée d'un dos…

Je me sens poisseuse de mes rêves. Ma vie m'apparaît, étroite et sombre : un long corridor entre maintenant et la mort. Cette journée est en train d'arriver à quelqu'un d'autre, quelqu'un que je ne connais pas.

On dépose quelque chose sur la table, je décolle mes yeux de la glace. La vue semi-congelée, je distingue la silhouette embrouillée du serveur qui s'éloigne. Devant moi, une nouvelle tasse de chocolat fumant. Les hommes gentils, ça existe.

La première fois que j'ai vu Dana, c'était au hot yoga… Une belle rousse au rire contagieux. Après les cours, on se souriait, on se disait salut. Un mois plus tard, je l'ai croisée au vernissage d'un ami commun, et la soirée s'est terminée chez elle. Il y avait des gens de partout et de toutes les couleurs, il y avait des bouchées, du vin blanc frais, du rhum, de petites limes antillaises, de la bonne musique. Et il y avait Dana : Québécoise d'ascendance irlandaise, négresse blanche d'Amérique, le visage encadré de flammes bouclées, le sourire étincelant et les hanches tourbillonnantes.

Après, elle était là, autour de nous, je l'aimais. Tout le monde l'aimait. Elle me parlait de São Paulo où elle avait laissé un merveilleux fiancé qui refusait de lui faire un enfant. Je la trouvais lucide, décidée, charnelle. En buvant son thé indien au lait chaud, parfumé à la cardamome, elle me racontait le Brésil de sa voix chantante, avec cet accent indéfinissable et raffiné, son accent de polyglotte. J'étais sous le charme de ma merveilleuse amie, sa beauté mordante, sa façon de prononcer mon nom, de dire les choses en m'incluant :

— Joëlle, tu es si attentive, tu vois tous les détails !

— Les détails, c'est la vie.

— La plupart des gens s'aperçoivent à peine qu'ils sont vivants !

Elle me lançait des fleurs : « Tu es si légère, Joëlle, on dirait que tu marches sur un coussin d'air ! » Quand, avec toute la gang, on s'entassait comme des sardines dans la voiture de Malcolm, je mettais mon bras autour de l'épaule de mon amie et posais la tête dans la laine de ses boucles parfumées. Je me rappelle avoir dit à Jim : « Elle est belle, Dana, et si brillante ! » Ah, je la lui ai bien vendue. Conne, double conne.

Quand tu places tout le monde avant toi, au bout du compte, tu te retrouves en dernier.

Comment voir qu'on ne nous aime plus ? Qu'on nous préfère ? Je n'ai rien vu.

Une baïonnette rougeoyante tout droit sortie du feu me traverse le cœur pour me sortir dans le dos. J'ai l'ego qui grince comme une vieille porte de métal rouillée accrochée à un hangar vide dans un désert où il n'y a rien, même pas un cow-boy solitaire.

Sur l'écran, on est passé à nos gladiateurs, nos chéris sur lames qui glissent, rapides comme des araignées d'eau autour de la petite galette noire. Elle me ressemble, cette rondelle… Ballottée par les coups, catapultée, lancée-frappée sur la bande, et personne pour penser à son mal de tête. Je repose mes yeux sur la glace.

J'ai dormi. Ce n'est plus le même serveur, celui-là est grognon, la glace a fondu et il passe la moppe sous la table en me regardant comme si je m'étais battue avec des policiers.

Dans le miroir de la salle de bain, je décortique le fruit de ma soirée. Mon œil gauche a pris la vedette, c'est une nouvelle variété de fruits, le *kiwi-prune salé*, couturé de cils, il brille, laqué aux larmes, dans de belles teintes de bourgogne et de bleu marine. Je le rince à l'eau froide.

Il est six heures du matin. Je sors du café dans l'aube naissante. Devant moi, une cabine téléphonique. J'avais oublié qu'elles existaient encore. Je réussis à accrocher quelques atomes d'amour-propre qui passaient par là, filaments volants, esseulés, disponibles à qui veut bien lever le bras, même fatigué… Aaah, parler à quelqu'un, ça serait bien.

Je trouve un dollar dans le fond de mon sac, et j'appelle Anaïs, la plus lève-tôt de mes amis. Elle répond à la deuxième sonnerie.

— Salut, Anaïs.

— Ah, Joëlle, ça va ?

Sa voix chantante a un effet concentrateur sur mon malheur, mais je respire un bon coup :

— Ça va. Il y a eu un incendie chez moi et…

— Oh ! Mais tu n'as rien, Joëlle ? Tu n'as rien ?

— Je n'ai rien.

— Est-ce que tes choses ont brûlé ?

Mon schefflera gros comme un arbre, ma table en chêne, mes livres, mes dessins, mes photos, mes souliers de course flambant neufs…

— Oui, mes choses… Mais, en fait, j'ai vu Dana et Jim, ils…

— Ah ! Alors tu sais, pour eux ! On se demandait comment tu allais réagir !

Quelque chose dans l'air ambiant se modifie. Sous l'écorce de ma peau, les fluides changent de teneur, le miel devient acide, le mou devient béton, et tout ce qui était courbe se dresse à angle droit. Je réussis à parler avec ma voix d'avant la mutation :

— Je suis vivante, c'est ce qui compte.

— Je suis trop contente que tu le prennes bien ! Tu es forte, Joëlle, je t'admire. Hé, excuse-moi, je dois te laisser, j'allais sauter dans la douche, il faut que je me maquille, le trafic, tu comprends ?

— Oui, oui, bien sûr. Bonne journée, Anaïs.

Si Anaïs savait… L'arborescence de mes amis se déploie devant mes yeux.

Le couteau, déjà dans la plaie, se met à danser la samba, et mille petits doigts comme des groupies en délire écartent mes chairs à vif pour y verser du poivre de Cayenne.

# Bleus

Étendu sur la plage, je regarde Félicia, elle danse à contre-jour, nue sous sa robe. Ses jambes en ombre chinoise, ses cheveux blonds comme une tempête de joie, son désir fluide et gourmand. Elle est ma femme, et tout ça est pour moi. Je suis un pacha au paradis, je suis béni. *Maxime, Maxime. Tu dors ?* Les éclats frémissants de lumière qui scintillent dans ses yeux me prolongent et me réfléchissent. J'ai soif d'elle, je la veux, là, maintenant, sa peau sur la mienne. Je tends les mains, mais un tireur embusqué mitraille la plage et nous sépare. Le sable retombe, Félicia a disparu. Le point rouge d'un laser apparaît sur mon cœur, je bondis de côté et me réveille comme si on m'avait appliqué un défibrillateur.

Une lame de soleil de dix mille watts est plantée dans mon œil. Dans la rue, les rafales d'un marteau-piqueur reprennent.

Je me retourne, fixe le rectangle plus pâle au mur. L'absence de cadre. La photo, je l'ai donnée à sa mère, mais je la vois aussi précisément que si elle était encore là : Félicia, à dix ans, debout dans un lac, de l'eau jusqu'à la taille, tenant une grenouille noble comme un prince dans le creux de ses mains. La poussière flotte au ralenti dans le rayon de soleil qui frappe le ficus planté dans ses feuilles mortes.

Je ne suis pas encore levé et je suis crevé.

Déjà deux semaines ici.

Ça m'a pris quelques jours avant d'oser pousser la porte de notre chambre, et une demi-bouteille de vin pour m'asseoir du côté de *sa* table de nuit. J'ai respiré un bon coup, je me sentais prêt. J'ai ouvert le tiroir, pris son flacon de parfum et je n'ai eu qu'à l'approcher de mon visage pour que ses atomes me rentrent dedans comme un char d'assaut. Une toute petite bouffée, pour me retrouver liquéfié, en boule sur le lit, secoué par les sanglots comme dans un combat de rue.

Je pensais que j'allais être ému, pas démoli.

Il faut que je réussisse à vider la place, il n'y a plus rien de vivant ici. Il faut que je vende cet endroit.

La première fois que j'ai vu Félicia, c'était l'été, chez des amis, à Kamouraska. Quand je suis débarqué, il devait être deux heures de l'après-midi, il y avait déjà pas mal de monde. Jean m'avait tendu un verre de *vinho verde* en souriant : « Tu as vu mon fils ? Il marche maintenant. » Il ne marchait pas, il courait ! Tout nu dans l'herbe, autour de la table de pique-nique, si heureux ; même ses petites fesses riaient. C'était une vraie belle journée d'été, on n'avait qu'à respirer pour se sentir léger. J'avais remarqué cette femme blonde assise sous un pin. Sa robe blanche, une tache de lumière dans l'ombre verte de l'arbre. Elle lisait, immobile, et je la regardais avec l'impression de contempler une image.

Tout s'était mis à bouger en même temps, le vent s'était levé, deux petits garçons torse nu, en culotte courte, étaient sortis du boisé en courant, suivi de deux autres, puis encore deux autres – on les clonait dans le bosquet. Ils avaient foncé vers la liseuse en criant : « Félicia, Félicia, attrape-nous ! » La femme avait relevé la tête avec un sourire magnifique et s'était lancée à la poursuite des enfants en rugissant comme un tigre. Ils étaient passés devant moi qui ne bougeais pas dans le rôle de l'arbre ; sauf mes feuilles, qui avaient frissonné.

Je l'avais senti distinctement : *l'amour.* Il m'avait enrobé comme un vent rieur.

Attrape-*moi*, Félicia.

J'ai tourné autour d'elle tout l'après-midi sans succès, accaparée qu'elle était par les hommes en bas de dix ans. On a préparé le repas, tous ensemble. Sa voix, son rire, sa façon d'être. J'avais soif, et elle était l'eau douce.

On a mangé dehors sur la longue table de bois. J'ai bu sa beauté, goûté son humour ; je ne voyais qu'elle. Vers la fin du repas, quand ses grands yeux bleus aux cils pâles se sont enfin posés dans les miens, j'ai vu que j'avais une petite chance, et je l'ai prise. J'ai engagé la conversation en parlant des étoiles, remerciant ma mère de m'avoir appris leurs noms les plus beaux : Mizar, Alcor, Vega...

C'était comme si je n'avais jamais connu de femme avant elle.

Notre amour était limpide, il coulait de source, je l'aimais, j'aimais l'aimer, et elle aussi. Elle jouait du piano, enseignait dans une école primaire. Je bossais dans une boîte d'ingénieurs. Un jour, fatigué de calculer l'obsolescence des produits, j'ai eu une idée, une bonne. J'ai quitté l'entreprise, débauché Alexis, et on a démarré notre affaire.

J'ai acheté cette maison sur la rue Fabre, près du parc ; elle en a fait un foyer. À cette époque, ma vie était projetée dans l'avenir. Sous le charme de ma propre réussite, occupé à conquérir le monde avec notre beau produit, j'ai gaspillé un temps précieux. Je regrette les heures supplémentaires, les nuits passées au bureau à travailler au lieu d'être heureux avec elle.

Parfois, Félicia réussissait à m'extirper de ma spirale. Je me souviens du chalet de l'une de ses amies, une violoncelliste. On y était allés seuls tous les deux, pour quelques jours. J'avais été frappé par le calme des lieux. Félicia disait : Écoute, écoute… On n'entendait strictement rien. L'amie musicienne avait même installé un réfrigérateur au gaz propane pour ne pas salir le silence du bourdonnement d'un moteur.

Félicia… Je passe des heures à me rappeler son visage, des heures qui, mises ensemble, font des jours. Parfois, j'y arrive. Je la vois, le menton posé sur les poings, ses yeux bleus pétillants. D'un seul coup, sa tête bascule, et son rire à plusieurs octaves rebondit sur les murs…

Le bonheur est un animal doux et discret. Il se fond dans le décor, on s'aperçoit à peine de sa présence. C'est quand il part qu'il devient féroce et revanchard. Sans avertir, il réapparaît, déguisé en souvenir heureux, il vous saute à la gorge et vous cogne en plein ventre pour vous punir de ne pas l'avoir remarqué quand il était là.

Ma femme chérie, ma belle, ma toute belle. Elle était dans l'entrée, elle avait déjà mis ses bottes fleuries et son imperméable. Son sourire. « J'y vais, Max, je vais être en retard. » Et moi – au lieu de me lever pour la serrer dans mes bras, d'enfouir mon nez dans son cou et de lui dire à quel point j'étais chanceux d'avoir une compagne si lumineuse –, j'ai tourné la tête et j'ai dit : « Bonne journée. » Elle m'a soufflé un baiser. Je lui ai soufflé un baiser. Elle disait souvent : *J'aime tes mains, j'aime tes mains sur moi*. Et moi, la dernière fois que j'ai vu ma femme, j'ai remis les mains sur mon clavier. Je suis resté assis devant un café et un écran, occupé à twitter un quelconque trait d'esprit, déjà fier de l'archée de ma flèche.

J'ai très peu de souvenirs des semaines qui ont suivi sa mort. J'ai beaucoup bu, beaucoup dormi. Enroulé dans le parfum de nos draps, je me réveillais les yeux cristallisés dans le sel ; j'avais tout débranché dans la maison, il faisait noir…

Un jour, Alexis a frappé avec une barre de fer sur le métal de l'escalier jusqu'à ce que je lui ouvre la porte. Il m'a brassé comme un pommier et tous mes fruits sont tombés. Autour de moi, les plantes étaient mortes, et il y avait un million de messages dans ma boîte vocale.

J'ai recommencé à sortir, seul. Je marchais dans les rues; arpentais la ville, la nuit, sous la pluie, les ciels gris; restais terré, les jours de beau temps insupportable. Couché sur le tapis, dans l'obscurité du salon, j'allumais la télé et laissais la lumière bleue me balayer le corps, la vie des autres me vider l'esprit. J'avais peur d'oublier l'odeur de sa peau.

Un jour, je l'ai oubliée. Ce jour-là, j'ai baisé une femme et, la semaine suivante, j'en ai baisé une autre. Je me suis remis à travailler, à travailler comme un cave.

Hier, j'ai bu du champagne et j'ai encore joué à m'accoupler très fort sans une once d'amour. Je me regarde d'une caméra cachée dans le plafond: un grand mec vide, dans sa maison vide. Je dois y arriver. Je dois me faire à l'idée qu'elle n'existe plus.

# Nulle part

Je quitte mon quartier général du centre-ville pour aller voir ce qui reste de mon immeuble cramé. Dix jours déjà depuis le feu, et je n'y suis pas retournée. La sueur perle sur toute la surface de ma peau, entre mes seins, dans la chute de mon dos, autour de mon nombril. Depuis hier, une vague de chaleur intense s'est abattue sur la province. La ville, encapsulée dans le smog, a perdu le bleu de son ciel, et nous, les humains, macérons dans le monoxyde de carbone – mais la fille de la météo l'a dit: si on ne bouge pas trop vite, si on ne respire pas trop fort, c'est correct.

Une femme est morte dans l'incendie, son nom était dans le journal: Rosie Laurier-Rainville. Elle était née la même année que moi. Je l'avais croisée durant les fausses alarmes, je me rappelle, elle portait des coquilles antibruit; les paumes enfoncées sur les oreilles, je lui avais souri. Je pense beaucoup à elle, je lui parle. Elle et mon père: les personnes à qui je parle…

Jim m'a écrit une tonne de courriels dans lesquels il s'explique, se flagelle et se justifie. Je ne réponds pas. Les premiers jours, ça me faisait battre le cœur, le temps avait pris une couleur d'une intensité délirante. Jim avait l'air de souffrir, je ne sais pas, je lisais ça, je me sentais importante. C'est ridicule. Je ne suis pas importante, tous ces messages, ce n'est rien, il cherche à me géolocaliser, c'est tout.

Je l'aimais. Mon amour pour lui était rempli de possibles. Dans ma petite caboche, j'avais une vie riche, pleine de sens, de détails palpables. Comment j'ai fait pour tout inventer? Il m'appelait plusieurs fois par jour: «Salut, chérie. T'es où?» Je me sentais désirée, attendue…

Hier, il a écrit: *Je vous aime toutes les deux.* Alors là, désolée. Je ne suis pas faite pour le polyamour, je n'aime pas l'idée de partager un pénis, j'en veux un pour moi toute seule. J'ai changé mes préférences: ses messages vont se ranger d'eux-mêmes dans la boîte de courrier indésirable. Je ne suis plus là, c'est tout ce qu'il y a à savoir, je ne suis nulle part, c'est tout ce que je veux qu'il sache.

Ça me trompe, ça patente des mensonges à large spectre, et après ça me poursuit jusque dans le grand livre des visages. Là-dessus aussi, j'ai mis un holà: opéré une déconnexion de type dissolution. Tu me cherches? Vas-y, cherche! Tu sous-estimes mon aptitude à devenir invisible…

Certaines images n'arrêtent pas de remonter à la surface, des souvenirs, des pseudo-signes avant-coureurs que j'aurais *dû*, *pu* ou *pas voulu* voir. Je sais bien que ça ne sert à rien de me vautrer dans des pensées marécageuses, mais je n'arrête pas d'y plonger et c'est vaguement épuisant.

Cet hiver, dans un bon resto… Il était rentré de Boston où on l'avait engagé pour récupérer les données perdues d'une grande société. Il avait réussi une manœuvre très complexe, le grand patron n'en revenait pas et on l'avait traité en prince: hôtel, restaurant, soirée bar ouvert… Il avait rencontré une super crack de l'informatique et un bonze magistral de la technologie; plein de gens hyper intéressants. Pendant qu'il racontait, la fourchette en l'air en laissant refroidir son plat, je dégustais le mien. Moi aussi, j'étais fière: une de mes illustrations avait été retenue par un magazine littéraire. Quand Jim s'était décidé à manger, je lui avais raconté la joie que j'avais eue en recevant le message de l'éditrice. Il m'avait écoutée en engouffrant littéralement son plat, puis, poussant son assiette de côté, il avait dit: « C'est bon, là? T'as fini? » Il y avait eu une microseconde de malaise, que je m'étais empressée d'effacer en souriant, puis il avait repris le cours de son épopée américaine, merveilleuse et tentaculaire. Mon sourire avait commencé à me faire mal à la nuque et au ventre; j'avais eu peur de pleurer devant lui – il était primordial qu'il ne me voie pas pleurer: une seule larme, et toute la soirée était à l'eau; la nuit, toute la fin de semaine. Je m'étais levée en m'excusant et m'étais réfugiée dans la salle de bain. Après trois litres d'eau glacée dans le visage, Joëlle était revenue, pétillante et guillerette.

Mais où est-ce que je me croyais? Dans un pays archaïque et poussiéreux où les femmes n'ont pas le droit de parler, pas le droit de conduire, pas le droit de se montrer la face?

Le plus dur, c'est de réussir à se pardonner sa propre connerie.

Je me suis acheté un cahier-défoule où je peux vomir ma nouvelle lucidité. Après le festin de naïveté, je m'entraîne à la contrefiche, crache mon fiel en silence dans le confort moderne d'un hôtel quatre étoiles. À chacun sa catharsis. Ça sort de moi comme des poèmes fâchés:

*Cassures, brisures, griffures de mûres.*
*Tu me domptes, je compromise, tu me prends, tu me trompes.*
*Trompée, dupée, tachée: je me détache.*
*Je tire un trait, une barre, je barbouille tout, salope l'amour.*
*Chorégraphie de vagues hirsutes, langues pointues qui grafignent les mots tendres.*

*Tu n'auras plus rien de moi, même pas un petit mot, même pas un gros.*
*Les mots fourchus, les grichus, je les garde pour le papier :*
*mensonge, défection, crossage, lâchage : tous des crottés.*
*Je ne dirai pas maudit chien sale, ce serait salir mes amis les chiens.*

Rue Papineau, derrière des lunettes fumées qui me bouffent la moitié du visage, j'avance dans l'air rare. Voilà, c'est ici, mon ancien chez-moi : un immeuble aux yeux crevés, à moitié effondré, rempli du squelette noir de ses charpentes. Je dépose sur le trottoir le bouquet de marguerites que j'ai cueilli dans le fossé à l'orée du parc. *Rosie, je pense à toi. J'espère que t'as eu une belle vie. Ce n'est pas la durée qui compte. Et je veux te dire que je ne t'oublie pas et que je vais vivre pour toi. Enfin, je vais vivre à fond ma vie, et… merci d'avoir existé et…*

Je suis plus émue que je pensais, je respire fort et j'ai les yeux pleins d'eau, je tousse. L'odeur de suie humide et de plastique cramé est insupportable, ça sent la poussière de néant. Tout ce que j'ai vécu ici n'existe plus, je pivote vers le parc La Fontaine, tout vivant, tout vert.

Appuyés contre un arbre, deux ados s'embrassent. Trois gars sur leurs skates passent près de moi en faisant autant de bruit qu'un camion et éclatent de rire au passage. Quelque chose compresse mes côtes, et ça me prend tout un argumentaire mental pour me convaincre qu'ils ne rient pas de moi. *Ils ne te connaissent pas, Joëlle, ils ont une vie : la leur ! Les gens ont une vie.* J'essaie de respirer profondément, mais je marche vite, l'air est lourd et je deviens tout étourdie. Je m'appuie contre un arbre, fixe un tas de mégots à côté d'un sac de crotte de chien.

Je regarde trop par terre. Ce n'est pas moi.

Moi, j'aime lever les yeux, regarder le ciel, les toits, la cime des arbres.

Je ne sais même plus qui je suis. Il n'y a pas juste mon immeuble qui est en ruine, je vais devoir me rebâtir au grand complet.

J'arrête à une fontaine et je bois ma vie. Elle est bonne.

J'oblique vers la montagne qui surplombe la ville. Le chemin monte en serpentin, ça fait du bien de marcher dans l'ombre fraîche. Bientôt ma tête se vide, et des mots passent dedans. Les mots sont à l'aise quand on arrête de réfléchir, ils sentent qu'ils ont de la place. J'avise une table où quelqu'un a effeuillé une fleur. Je m'assois et sors mon cahier pour attraper les mots avant qu'ils aillent se promener ailleurs, mais je suis toujours happée par ce qu'il y a devant mes yeux :

> *Sur une table de bois gris, un cercle de pétales rose :*
> *Ici s'est assis un humain de ma race.*
> *La vie ronde, forte et fragile…*
> *Ne pas réfléchir comme le serpent se mange la tête jusqu'au coude.*
> *Ne rien posséder et tout avoir, sauf la peur.*
> *Dans une fissure de béton, une fleur jaune hurle sa joie.*

Dans l'escalier qui mène au centre-ville, j'ai une pensée pour ma cousine de Hull qui m'a tourmentée à coups de téléphone pour que je prenne l'assurance incendie vendue par son mari. J'avais beau lui dire : je suis *locataire* ! Elle n'a pas lâché : « Tout ton matériel informatique, tu travailles avec ça ! Si ça arrivait, tu n'aurais plus rien ! » Elle m'a râpée, tannée comme du cuir fin : *la meilleure assurance feu du monde…* Et je l'ai prise.

J'ai fait quelques courses. En entrant à l'hôtel, le portier, encadré de deux arbres en pot, me regarde d'un air soupçonneux, peut-être à cause de mes baskets poussiéreux ou de mon sac magané, je m'en fous. Je lui fais mon plus beau sourire et, la tête haute, je fends l'air conditionné du hall et prends l'ascenseur qui me dépose au neuvième étage.

La suite qu'ils m'ont donnée est plus grande que mon studio en cendres. Tout y est vaste et exagéré : cuisine à éclairage polaire et table de réfectoire, télé large comme le canapé, chambre avec lit conçu pour un trip à trois éléphants. Il y a de l'écho dans la salle de bain et un miroir où on peut se voir de loin. J'ai un peu maigri.

J'enfile mon nouveau maillot nageur, il est blanc ; jamais dans ma vie je n'aurais pensé m'acheter un costume de bain blanc, mais c'est ainsi. Je m'emmitoufle dans la robe de chambre de l'hôtel en ratine de trois kilos et je reprends l'ascenseur. Au dixième étage, deux anglophones aussi en peignoir blanc embarquent en placotant.

Elles ont écarquillé les yeux en voyant mon œil au beurre noir et, depuis, font bien attention pour ne pas croiser mon regard. Leurs voix semblent sortir de leur nez, la discussion tourne autour d'un gars nommé Chuck, qui envoie beaucoup de textos et qui m'a l'air d'en pincer pour la plus blonde des deux. C'est fantastique de la voir secouer ses mèches à la fin de chaque phrase en disant *dji* !

Je leur laisse la piscine, m'étends sur un matelas près de la verrière, et fais quelques étirements en regardant la montagne et les petits *Homo sapiens sapiens* en bas, qui s'activent à l'heure du cinq à sept.

Elles sont parties. L'espace libéré de l'écho de leurs voix est plus beau, plus vaste. Les rayons de fin d'après-midi tombent à l'oblique dans l'eau et je plonge dedans comme un ange dans des pieds de vent.

Je me suis fait ce que j'appelle un *plateau dégustation*, recette complexe qui consiste à mettre des aliments dans une assiette. Ce soir, nous avons des endives, des noix de Grenoble et de cajou, des tomates cerises, des feuilles joufflues de basilic, une mangue mûre et, la pièce maîtresse, deux boules de mozzarella de bufflonne, pour le goût de mâchouillage de foin sous le soleil de l'Italie. J'ai fait vœu de ne plus rien manger d'autre que ce que j'aime.

J'apporte le plateau dans le salon, allume la télé et ses trois mille chaînes. *Dji ! Long time no see.* Ô Tévé : réceptacle de toute la beauté et de toute la scrape du monde. On y croit chaque fois, on se dit qu'on va trouver quelque chose de l'fun : un film des frères Coen sans pauses publicitaires, un documentaire vibrant ; il y a tant à voir, tant à comprendre. Je fais le tour, m'arrête sur le réseau des infos et dépose la télécommande pour pouvoir déchirer des filaments de fromage frais.

Un politicien de droite, flanqué d'une femme blonde – les politiciens de droite ont toujours besoin d'une belle blonde à leur flanc –, réussit le tour de force de prononcer sérieusement cinq longues phrases en ne disant strictement *rien. Totalemente nada.* La langue de bois a mué en langue de béton… Tiens, tiens : il existe une pilule pour soldat, un comprimé qui *enlève la peur de tuer et d'être tué.* Il n'y a pas à dire, ça règle tout. Ah, il y a des effets secondaires néfastes ? On ne s'en serait jamais douté. J'appuie sur le bouton rouge et lance la télécommande à l'autre bout du sofa géant. Devant l'écran noir, un ange passe sur la pointe des pieds avec l'air de s'excuser.

Étendue sur une serviette géante au centre du salon, je m'entraîne à respirer.

Je vais sortir de ce corridor obscur. Entre l'enfance et la mort, beaucoup de choses peuvent arriver.

J'ai mal au temps gâché à aimer un homme qui ne m'aimait plus. J'aimais sa voix, ses sourires, ses gestes, j'aimais ses silences. Toute la tendresse que j'ai pu mettre dans ses silences… Combien de fois j'ai fouetté la crème d'une joie bidon ? J'étais aveugle volontaire comme on est volontaire pour partir à la guerre. Je fais trop confiance, j'invente des choses. J'ai inventé l'amour, j'ai bu avec délectation un nectar fictif. J'étais l'enfant qui salive en versant de l'air dans une tasse de plastique.

Je ne me suis jamais sentie aussi seule de ma vie.

Immobile, les bras en croix, je me concentre sur ma respiration pour ne pas pleurer.

Ça marche un peu.

J'ai été aimée du bout des lèvres. La prochaine fois, ce sera à pleine bouche, à bras le corps, ou ça ne sera pas.

Ne plus dépenser un atome de connexions synaptiques pour lui.

J'ouvre mon cahier qui hurle en silence à côté de ma cuisse et j'écris calmement ma rage, le soufre d'une dernière allumette.

*Il était une fois, le royaume de ma vie sans toi.*
*La porte se ferme sur mon délice secret,*
*je le garde et le secret sera bien gardé.*
*Mon trésor en sucre d'or n'est plus pour toi.*
*Mon trésor est à moi.*

# Bravo, Rivière

Je suis mort. Étendu en croix dans le lit, les muscles en grève légale, la tête dans un étau de métal froid, j'entreprends le démarrage discret de mon cerveau. On appelle ça un lendemain de veille. Mmmm… mais quelle veille, au juste ?

Bonne question.

Pas trop vite. Les soirées s'accumulent, celle d'hier m'a échappée. Mes neurones engourdis nagent dans l'huile lourde, le tableau baigne dans un flou artistique, et l'œuvre a l'air trash. Je fouille le brouillard, l'idée que je tente d'attraper est glissante comme une truite. Un phare de brume s'allume au loin, et m'éclaire à intervalles réguliers. Émilie a accouché, la mère et l'enfant vont bien, et on a fêté Tom, le nouveau père… Champagne, champagne… Sa face quand il a vu ce que tout le bureau s'était cotisé pour lui acheter : le fauteuil le plus techno sur le marché, quatre-saisons, en alliage léger. Tom, cerné jusqu'au menton, s'est transbordé dedans, riant et pleurant en même temps. On a bu toutes les bulles, et… on est partis… Oui, c'est ça : je me suis assis dans le vieux fauteuil de Tom ! J'essayais de le suivre, le soir tombait, je me défonçais derrière lui qui riait, je suais, je jurais. À un endroit, il n'y avait pas de trottoir, j'enrageais ; j'ai manqué me péter la gueule. Je suis arrivé épuisé au bar qui n'était qu'à cinq coins de rue. Tout le bureau et la moitié de l'équipe de basket étaient là, il y avait des fauteuils roulants partout, et pas d'escalier – Samia avait choisi la place pour ça. J'ai décollé mes fesses du siège avec le sentiment d'être déloyal. Et là… Et là…

J'ai un blanc de type *black-out.*

Je me lève, pisse un coup, cale un verre d'eau et me recouche.

J'ai redormi une heure, et ça y est, je me souviens de tout. Il y a eu un deuxième acte et un changement de décor. Alexis m'amène ailleurs, un nouveau spot, un club, style caverne rouge matelassée. On est assis dans une alcôve, il faut qu'on mange, c'est impératif. Je commande un truc, Alexis, déjà traité en habitué, jubile. On parle, on boit du bourgogne, les serveurs se déplacent comme dans une unité de soins intensifs. Les plats arrivent, c'est vertical, c'est bon. Une fois rassasiés, Alexis enclenche son obsession : l'Asie, le marché chinois, le toujours plus grand, plus gros, plus vaste, et moi qui résiste ; qui résiste *encore.* J'y vais de considérations philosophiques : les limites de l'exponentiel, notre époque qui va trop vite et la vie qui est si courte. Alexis m'écoute en regardant le fond de son verre, relève la tête et dit : « Je peux comprendre une certaine dose d'entropie, mais là t'es carrément devenu mononcle. » Sous le choc, je ne dis rien. « T'étais mon modèle, Max, et maintenant tu veux te dissoudre dans le fin fond d'un rang à Saint-Glinglin-de-Nowhere ! » Je décide de répondre, j'entends encore ma voix étouffée par le capitonnage des lieux : « Alexis, t'es rien qu'un faux frère. »

Alexis. Mon meilleur ami.

Sa face défaite, sa mâchoire transformée en béton, ses yeux trop brillants.

Il a déposé son verre, s'est levé et est parti sans se retourner.

Bravo, Rivière.

Maudite boisson.

*Y a certaines affaires qu'y faut pas tarder à rabibocher*, comme dirait Selfrid. Je devrais appeler Alexis. Non, je dois le voir en face. J'ai faim. J'ai besoin d'air.

Il fait chaud. Sur Mont-Royal, on suit le peloton. La femme devant moi porte un pantalon blanc assez transparent pour qu'on puisse admirer son string rose avalé par ses fesses qui se balancent à chacun de ses pas. À l'intersection, je me retrouve à côté d'un homme tatoué mur à mur qui tient un gamin par la main : un p'tit gars avec un anneau dans le nez. On a le droit de percer les enfants ? Non, non, impossible, c'est sûrement du toc, un jouet… Je marche les mâchoires serrées.

Qu'est-ce que je fais encore ici ? Chaque jour, mes amis m'invitent, un nouveau truc se présente, et je suis incapable de dire non. J'ai peur de faire de la peine, ou quoi ? On m'a extirpé de mon écosystème. Je faisais pitié aussi : tout le temps dehors dans la fraîcheur de la forêt, à construire, tailler mes arbres, marcher, me tirer dans le lac, lire pendant des heures dans le hamac, prendre une bière avec Self, l'écouter me raconter un passé vivant…

Alexis ne comprend pas mon besoin d'espace, en philanthrope, il m'a imaginé perdu et malheureux au fond d'un rang, il s'est dit : *Pauvre Max ! On va le rapatrier !* Il pense opérer ma *réinsertion sociale*. Le rat des villes ne comprend pas comment fait le rat des champs pour vivre isolé à la campagne, et le campagnard trouve fous ces citadins qui acceptent de vivre empilés les uns sur les autres…

On m'a flatté dans le sens du poil, mon beau poil brillant de gars simili-indispensable, et je me suis laissé happer, voilà la vérité.

Au coin de Christophe-Colomb, un homme s'arrête net en me voyant :

— Maxime Rivière, salut !

— Vladimir ! Hé, hé ! Ça va ?

Je l'ai reconnu à sa voix et ses yeux très pâles, il porte maintenant une grosse barbe aux moustaches frisées. La dernière fois que je l'ai vu, il était avec sa femme et avait son petit gars dans un sac sur le dos. Je dis : « On se boit un café ? » Il ne peut pas, il est pressé, son fils va arriver dans dix minutes pour sa semaine de garde partagée. On se serre la main.

Le temps, ce coureur d'élite...

En face du café, la circulation est bloquée, je me faufile entre les voitures.

Je commande deux œufs brouillés, pain brun, fromage ; un allongé, pour commencer. Je cale mon verre d'eau. Le café arrive. Oh qu'il est bon. Par la fenêtre, je vois les gens qui se déplacent rapidement devant les autos immobiles ; une caravane de métal incrustée dans l'asphalte fumant. La serveuse dépose mon assiette avec délicatesse. « Merci ! »

C'est généreux, il y a même des petites patates rissolées. Je dévore tout, reprends un café, mon cerveau se réinstalle tranquillement dans ses bases. Je laisse un pourboire royal.

Je marche, ça va mieux.

J'entre au Quai des plumes, j'y venais souvent avant. La clochette de la porte se mélange au jazz ambiant, l'homme au comptoir m'adresse un bref sourire, puis retourne à sa lecture. Je vais derrière, dans la pièce bourrée de livres usagés. Je ne sais pas pourquoi j'aime tant les livres qui ont déjà été lus. La trompette de Miles se faufile avec moi dans les dédales du labyrinthe...

Dans la section architecture, mes yeux tombent sur une photo de cabane dans les arbres, et en ouvrant le livre, ma colline me souffle son air frais et résineux en pleine face. Ah, ma forêt, là où chaque heure est différente, là où tout est mat et texturé...

Il est superbe, ce livre.

Le jazz a cessé pour faire place à de la musique lente et aérienne, derrière le comptoir, une jolie brunette à lunettes, en train de lire ; son visage me dit quelque chose. Elle sourit, me prend le livre des mains pour en noter le prix, et je me souviens d'elle, ici, enceinte de plusieurs mois, lors d'un lancement ; on avait beaucoup ri.

Peut-être à cause de la lumière qui émanait d'elle ? Je ne sais pas pourquoi, je dis : « Vous, à l'heure qu'il est, vous devez avoir une p'tite bibitte qui court partout ? » Elle incline légèrement la tête, sourit doucement en me regardant dans les yeux et dit : « Elle est née, mais elle n'a pas vécu. »

Mes pieds s'enfoncent dans du plomb fondu, les rotules de mes genoux se volatilisent, je m'accroche au comptoir pour ne pas tomber. « Je suis profondément désolé, terriblement désolé ! Oooh, excusez-moi... » Par une espèce de magie, elle ne fait que poser sa main sur la mienne, et je suis soulagé de toute la lourdeur du monde. Son sourire est d'une douceur inouïe :

— Vous ne venez plus souvent ici. Êtes-vous toujours à Montréal ?

— Non, j'ai déménagé sur une colline, dans un rang des Appalaches.

Ma nostalgie se lève comme une marée et me remplit les veines. Je pense à mon lac, sa fraîcheur, sa transparence minérale. Elle jette un bref regard au livre et replonge au fond de mes pupilles :

— Alors vous allez repartir là-bas construire une cabane dans les arbres ?

— Oui, en effet.

Je sors de la librairie les idées plus claires que je ne les ai eues depuis des semaines. J'ai mariné assez longtemps dans les profondeurs, je dois remonter à la surface, je suis avide d'oxygène, fatigué de respirer l'air en conserve. Je marche vers le mont Royal et dans ma tête un plan s'ébauche : des formes simples, de la lumière, des branches solides qui traversent une plateforme… Je revisite mentalement les emplacements de mes arbres les plus majestueux. Soudain, j'ai une autre idée, une idée pour l'entreprise ! Mon cerveau fonctionne avec le tirant d'une rivière de printemps.

Quand je rentre, mon téléphone est rechargé, j'ai un message de Samia. *N'oublie pas, ce soir, j'inaugure mon condo. Rendez-vous à sept heures.*

Alors qu'est-ce qu'il va faire ce soir, le monsieur ? Il va aller chez Samia. Je vais être là pour la seule personne sur la planète qui me traite comme un fils.

Je range et passe l'aspirateur à la grandeur de l'appartement. Je fais une sieste.

À cinq heures, je texte Alexis : *T'es où ?* Il ne répond pas vite, le p'tit maudit. J'ai le temps de vider le lave-vaisselle, de prendre une douche, m'habiller. Enfin, sa réponse : *Je suis là où je suis à cette heure-ci.* C'est bon signe. J'écris : *J'arrive.*

Il répond : *Arrive, mon Tabarnak.* Et ça, c'est excellent. J'avais le poids d'une piscine sur les épaules et elle vient de crever ses eaux.

Dans le bistro, il y a déjà pas mal de monde. Alexis est accoudé au bar, il plante ses yeux dans les miens sans sourire : « Je sais ce que tu vas dire, Rivière, économise ta salive, tu vas dire : *Maudite boisson.* » Le pilier de bar assis à côté rit comme un vieux Volkswagen détraqué qui refuserait de démarrer. Alexis, lui, me regarde, et je suis attentif.

— Promets-moi un truc, Max.

— Je t'avertis, ce soir je vais devoir boire le champagne de Samia.

— Non, écoute, sérieux… Promets-moi de ne pas finir vieux garçon.

— OK. Promis.

Le pilier reste là, et nous, on part. Je mets le bras autour de l'épaule de mon ami :

— Alexis, j'ai pensé à un truc, une nouvelle avenue pour la compagnie, quelque chose qui va assouvir ta soif d'expansion, ta soif de grenouille, mon ti-bœuf, une idée que tu vas aimer !

— Max, je les ai toujours aimées, tes idées !

— Attention, Alexis, ça va passer par là !

# Delta

Furi sur l'épaule, je sors de l'hôtel en soufflant un baiser au portier sévère dans son beau décor paysagé. Sa face étonnée : ça valait de l'or.

Et maintenant, descente en roue libre dans les rues désertes du petit matin.

Le sac que j'ai sur le dos et l'autre en bandoulière contiennent tout ce que je possède en ce monde. Non, je ne t'oublie pas, Furi. Mon fidèle destrier, seul vestige de mon ancienne vie ; il m'attendait sagement attaché à un poteau. Je l'ai ramené dans la chambre d'hôtel et je l'ai lavé. Je ne sais pas ce qui m'a pris, j'ai fait briller chacun de ses rayons, frotté le métal des roues à la brosse à dents. Une authentique maniaque touchée d'un trouble obsessionnel ponctuel. J'avais seulement besoin qu'il soit immaculé.

Mais ça va, maintenant, Furi, tu peux te resalir.

La gare est pleine de gens, ça fait longtemps que j'en ai vu autant. Ces derniers jours, je ne suis pas sortie de ma tanière. J'ai lu d'une traite *Un loup est un loup* et *Dieu et nous seuls pouvons*. Folco, c'est bon. Je fais rouler Furi jusque chez les bagagistes comme autrefois on confiait sa monture à l'auberge d'un relais. La dame du guichet a les paupières du même bleu que son uniforme. Je demande : « Va-t-il voyager dans le même wagon que moi ? Vous ne les empilez pas, n'est-ce pas ? » Il y avait un peu trop d'inquiétude dans ma voix… La dame croise ses bras de lutteur et me regarde en fronçant les sourcils, et en jaugeant ma santé mentale. Je dis : « Je n'ai pas de boîte, j'ai un peu peur qu'il s'abîme… », et elle se décide pour un grand sourire : « On a des emplacements prévus, il sera bien à l'abri dans le wagon jaune, l'avant-dernier. » J'ai envie de dire : *Prenez-en soin, aubergiste.* À la place, je dis : « Merci beaucoup, Bernice. » *Bernice,* c'est écrit sur son badge.

Je suis en avance. J'aime être en avance.

Dans l'aire d'attente, je m'assois au bout d'un banc, en face d'une femme superbe aux cheveux enveloppés d'un voile de soie mauve. Je la regarde, hallucinée par la grandeur de ses yeux, par son visage au maquillage parfait. Oh, là, là : je l'ai effrayée. Je tourne la tête. Des adolescents ont fait un tas avec leurs sacs à dos et sont assis autour en conseil tribal comme pour un feu de camp, mais ils ne chantent pas, ils ne se parlent même pas. Le cou cassé, ils flattent leur téléphone, il faut le nourrir, sinon il meurt, comme un Tamagotchi. Trois notes cristallines de type céleste rebondissent sur les murs, on annonce un départ pour Toronto dans un français mâchouillé, suivi d'un anglais distingué. Je me demande si l'idée d'aller vivre à Toronto va un jour me traverser l'esprit…

Je suis contente de ce mouvement, je me rapproche de Colombe, et je suis fière de moi, j'ai tout réglé de ma chambre d'hôtel. Le recouvrement de l'assurance me faisait peur, toute cette paperasse, que je me disais. Mais je suis tombée sur un homme d'une patience admirable ; et je me trompais, il n'y a pas tant de papiers que ça, on est déjà tout enregistré dans les systèmes. J'ai récupéré sur le web les quinze images de mon studio que j'avais mises dans un site d'échange d'appartements, on voyait tout ce que je possédais, le matériel électronique aussi. Les trois semaines à l'hôtel, tout : ils remboursent tout. J'ai terminé mes trois mandats graphiques en cours, magasiné minutieusement un nouvel appartement et acheté quelques t-shirts unis : un blanc, un cerise, un jade, un pistache, un azur, un jonquille et un mandarine. Jim me préférait en noir, et y en a marre du noir. J'ai trouvé aussi un jean merveilleux, pas trop cintré, un peu gavroche ; un maillot ; douze petites culottes à fleurs et, dans un débordement de sollicitude envers moi-même, je me suis offert le cachemire vert émeraude dont je rêvais depuis deux ans. J'ai nagé chaque jour, je me sens lavée ; mon corps, plus concentré, plus attentif… Je suis bien.

Parfois, quand je me promenais avec Jim, je n'étais pas bien. J'avais souvent une fatigue dans le bas du dos et les mâchoires serrées. Je crois que je réussissais à marcher avec *l'idée que j'avais de lui* plutôt qu'avec lui. Je n'arrivais pas à mettre le doigt sur ce qui clochait, je pensais que c'était moi.

Une petite fille glisse en apesanteur sur des souliers à roulettes et freine à ma hauteur. À mon tour de me faire dévisager. Ses yeux, trop grand ouverts, et la pirouette gracieuse qu'elle a eue pour rebrousser chemin : superbe ! 8,9 sur 10. Bravo. J'oublie que j'ai encore l'œil coloré, il n'est plus enflé, mais la paupière est fuchsia, et le sang s'est étalé dans ma joue dans un joli dégradé de jaune à mauve.

Un nouveau départ est annoncé, ce n'est pas le mien.

Mais, bientôt, ce le sera, mon nouveau départ.

Je me souviens de cette autre gare, au milieu d'une bourgade dans la cheville de la botte italienne. Mon grand voyage en sac à dos, j'avais dix-neuf ans… Je m'étais endormie dans le train, j'avais été réveillée par le contrôleur qui me secouait l'épaule en me parlant italien : il fallait descendre, le train n'allait pas plus loin. Je m'étais retrouvée sur le quai désert, aveuglée par la lumière d'un lampadaire fulgurant, devant le petit bâtiment fenestré de la gare. Comme une somnambule, j'étais entrée, j'avais déroulé mon matelas et mon sac de couchage sur une banquette et, enrobée de ma naïveté à plumes, je m'étais rendormie.

Je m'étais réveillée au fond de mon cocon, sans mémoire ni du lieu ni de l'heure – j'étais partie depuis plus d'un mois, et ce genre de réveil nébuleux m'était devenu familier. J'ai entendu un oiseau chanter, puis une toux… et tout m'est revenu. J'ai risqué un œil, derrière mes cheveux en pagaille. Une ribambelle de gens, assis sur les banquettes qui faisaient le tour de la pièce, me fixaient en silence. Des femmes avec des paniers d'osier sur les genoux, des foulards fleuris; des hommes en salopette, en veston cravate. Le silence était si dense, on aurait pu planter une cuillère dedans. J'ai sorti la tête, dégagé mon visage de mes cheveux broussailleux. L'homme en face de moi est devenu radieux, il s'est écrié: *Oh, una piccola donna!*, et l'assemblée a éclaté de rire. Je suis sortie du sac avec toute la dignité possible, j'ai eu une espèce de trébuchement gymnique qui les a fait continuer de rire doucement. J'étais là, je remettais mes vêtements tirebouchonnés en place, et je riais, je riais avec eux, parce c'est vrai que c'était drôle; il n'y avait pas de moquerie dans ces rires, que de la joie.

J'ouvre mon cahier en plein milieu, j'écris:

> *Ne pas oublier l'émerveillement, la qualité de l'instant et l'arme joie.*

Mon père parlait souvent de ça: *cultiver sa joie.* On dit que je lui ressemble, enfin, on le *disait*… À part mon frère Victor, rares sont ceux qui parlent encore de lui. Selon ma mère, ça ne se fait pas. Parler des morts quand il fait beau assombrit le ciel; à table, ça coupe l'appétit, c'est comme renverser du sang sur la nappe. Mais où sont nos morts, s'ils ne sont pas dans nos cœurs, dans nos têtes? On ne cesse pas d'aimer quelqu'un parce qu'il meurt ! Ceux qu'on a aimés vivent dans la vibration de nos voix, mélangés à notre vie.

Ma mère et ma sœur se ressemblent beaucoup, ce sont de grandes femmes aux yeux bleus portant avec aplomb leurs poitrines généreuses. Depuis des années, elles se colorent les cheveux de la même couleur : un blond cendré un peu triste. Elles sont toutes les deux décoratrices, mais c'est une activité floue, et elles n'aiment pas en parler. Ma mère ne travaille plus que pour décorer ses maisons. Quoi qu'il en soit, leur horaire est chargé, elles avancent dans la vie la tête haute, sûres de leur charme et de leur avis.

J'aimerais être plus proche d'elles, mais l'idée qu'elles ont de moi s'est cristallisée dans une matière indestructible, dure comme de la kryptonite. Ma mère n'en revient pas de mon végétarisme – qui n'est pourtant pas absolu – et ne digère pas ma séparation d'avec Charles-Antoine. Pour Sonia, je suis une girouette : j'ai étudié en arts visuels, en philosophie, en scénographie, puis j'ai tout arrêté sans rien terminer. Je suis une *romanichelle* qui s'habille dans les friperies et qui n'a d'autre ambition que de dessiner.

Voilà mon imago.

Quand mon père est mort, je me suis coupé les cheveux au *clipper*, à un centimètre du crâne, je ne sais pas trop pourquoi… ça avait quelque chose à voir avec la mémoire. Depuis, chaque fois que je vois ma sœur ou ma mère, elles disent : « Ah, tu t'es fait repousser les cheveux ? » Chaque fois.

On a annoncé le départ pour Québec. Je me lève avec mes deux sacs ; pour une fois, je n'ai pas trop de bagages. Je retourne dans la ville de mon adolescence, ce n'est pas un retour en arrière, c'est un début. Je suis libre d'être moi là où je veux. *Vive Québec, vive mon Québec libre !*

Le sourire aux lèvres, je rejoins le troupeau des voyageurs dans l'escalier roulant.

Mon siège est au bord de la fenêtre dans le sens de la marche. La femme qui devait s'asseoir à côté de moi m'a jeté un coup d'œil effrayé avant de se trouver une place plus loin. Elle avait peut-être peur que je la boxe ?

Je suis plus fébrile que je pensais.

Un jour, c'est ma seule certitude en ce monde, je rejoindrai le grand *melting pot* des anciens vivants. Mais aujourd'hui, bien que future morte, je suis là, vivante et respirante. La vie, c'est maintenant, c'est toujours maintenant.

Je serais bonne pour travailler dans une agence de pub, je sortirais des slogans inusités : *Être mort de son vivant, c'est trépassé ! Soyez* Now, *soyez vous ! Depuis la campagne orchestrée par Joëlle Pellerin et le dalaï-lama, la moitié de la planète se bouscule pour être soi-même et vivant. Sur la Croisette, les vedettes ont adopté le nouveau* trend, *Léonardi De Caprino déclare : « Je commence à en avoir marre de jouer des rôles ! »*

Mes plans ne tolèrent pas la peur. Il faut rire.

Je ferme les yeux, dans un recoin de ma tête, j'entends résonner la chanson de Léo Ferré que Papa aimait tant :

*Ce sont amis que vent emporte,*
*et il ventait devant ma porte,*
*les emporta…*

## Carambolage

Je cours comme un fou, mes pas résonnent sur les dalles de la gare. Le contrôleur m'a repéré de loin, la main tendue au sommet de l'escalier, il est prêt à déchirer mon billet.

On réussit le relais, je dévale deux marches à la fois, le finish est là, au bout du quai. Je cours, m'engouffre dans le wagon, la porte se referme derrière moi, et cinq secondes plus tard, le train s'ébranle. J'avance dans l'allée en soufflant comme une locomotive. Mon siège près de la fenêtre est déjà pris par un petit gars, les doigts fort occupés sur la surface d'une tablette, alors je m'assois dans celui d'à côté. La femme assise devant se retourne avec un sourire reconnaissant, elle a un bébé dans les bras et des yeux qui n'ont pas beaucoup dormi. Le train s'engage sur le pont, on enjambe le fleuve, et l'île, déjà, s'éloigne… *Bye bye, Montréal.*

Aussi facile que ça.

Le petit gars est tranquille, il vient de sortir une bande dessinée ; de l'autre côté de l'allée, une adolescente couchée en travers de la banquette dort profondément. Encore quelques résidus de banlieues, et nous serons en rase campagne.

J'ai hâte d'être chez moi, de revoir le lac, respirer la journée, marcher sur le tapis d'aiguilles rousses ; écouter le vent… Ah, travailler de mes mains, qu'il y ait du ciel partout… Selfrid a sûrement terminé le recouvrement du cabanon. J'espère qu'il va bien, mon vieux ; j'aurais aimé lui parler, mais il n'ouvre pas le téléphone que je lui ai offert, il le garde précieusement dans un tiroir.

Je sors mon livre, étire les jambes. C'est bien, le train, on est à l'aise...

Le bébé du siège avant vient de se lancer tout à fait bénévolement dans un exposé sur l'inconfort, la promiscuité et la faim, conférence présentée dans la langue internationale des bébés : le vagissement supersonique. L'adolescente d'à côté s'est réveillée et se redresse au ralenti. J'ai le temps d'apercevoir son œil au beurre noir avant qu'il soit caché par la masse de ses cheveux. Ce n'est pas une ado, c'est une femme. Une jeune femme poquée.

Les kilomètres roulent plus lentement sous nos pieds depuis que le bébé hurle de façon ininterrompue. Un bel exemple d'enfer : c'est insupportable, mais on ne peut rien faire. La mère le berce, murmure, chantonne, supplie... elle est sur le point de pleurer, elle aussi, la maman qui n'a pas dormi.

La poquée boit toute l'eau de sa gourde et se lève. Elle sourit à la mère et s'accroupit pour avoir le bébé bien en face. Juste à la voir, il a toussé en rétrogradant son cri. Elle se penche, je ne la vois plus, mais je l'entends dire de sa voix douce : « C'est pas grave. C'est vraiment pas grave, Bébé. » Et voilà ! Il a compris. Bébé ne hurle plus. Finito. Hypnotisé, le bébé. Tout ce qu'on entend, c'est le grésillement des musiques qui débordent des écouteurs de tous ceux qui en avaient monté le son. La maman n'en revient pas :

— Merci ! Merci, vous êtes merveilleuse !

— J'ai un truc avec les bébés...

— Oh ! Il faut me le donner !

La Merveilleuse chuchote rapidement le truc à l'oreille de la femme, puis se rassoit, sort un livre et se barricade derrière. Mais moi, j'ai eu le temps d'apercevoir le sublime sourire qu'elle s'est fait à elle-même.

Je ferme les yeux. Je vais dormir, me réveiller à destination, le roulement du train fonctionne aussi bien que des moutons qui sautent. *C'est pas grave, Bébé, c'est pas grave…* J'étais sur le bord, prêt à me laisser basculer dans le sommeil, quand le système de climatisation a décollé comme un Boeing.

La poquée lève la tête vers le plafond, l'air incrédule, et laisse échapper, à moitié pour elle-même : « On dirait un avion à réaction. » Je montre du doigt le turboventilateur d'air glacial. « Ils veulent nous cryoconserver. » Un vague sourire effleure son visage. Je m'efforce de la regarder normalement, on se demande qui a pu l'amocher comme ça. L'idée d'une sale brute saute immédiatement à l'esprit. Elle se tourne vers moi, ferme les paupières une seconde pour les rouvrir sur un regard bouillant :

— Vous me regardez comme si j'étais une femme battue !

— Pas du tout !

Elle m'ignore, tire un chandail de laine de son sac, se l'enroule autour du cou et retourne à sa lecture derrière le rideau de ses cheveux.

Botte en touche.

Tout le wagon s'anime, à la recherche de quelque chose pour se protéger de la *draft* polaire. La maman sort une deuxième couverture pour bébé, fait passer une veste au gamin qui la tirebouchonne sous son bras, trop occupé à lire, ou plutôt à rigoler. Le doigt appuyé sur son livre, il lève la tête vers moi. Je jette un coup d'œil : un loup penché, vêtu d'une salopette, laisse échapper un pet représenté par un petit nuage dynamique qui jaillit avec le mot *PET* écrit dessus en majuscules. Je fais « Pffff ! » et le gamin explose de rire.

C'est contagieux, la Merveilleuse oublie sa poque et se retourne pour nous regarder rire. Je me lève pour enfiler un chandail, et mon livre de cabanes tombe à terre. Poqué ou pas, je sais reconnaître un regard envieux. Je saute sur l'occasion :

— Je vous le prête ?

— Non... je ne voudrais pas... mais c'est... heu...

— Je le relis, en fait. Les photos sont magnifiques.

— Ah ?... Bon, d'accord. Merci, c'est gentil.

Nos mains se penchent ensemble pour ramasser le livre, mais c'est moi qui gagne. Je peux lui sourire, l'avoir en face – sous des sourcils fournis, le mauve de sa paupière fait ressortir le vert de l'iris –, je lui tends le livre, elle le prend timidement :

— Merci... Je... Vous avez de beaux enfants.

— Ah, mais, ce n'est pas mon fils.

Le petit gars arrête de lire et me regarde sans rire. Je rembobine : « Ce n'est pas mon garçon, c'est mon ami de train, tous les deux on aime les loups... » La bouche entrouverte, il est suspendu à mes lèvres. Je fais « Pffff ! » et de nouveau il hurle de rire. La poquée me gratifie d'un sourire lumineux.

Un sourire comme ça, on peut facilement devenir accro.

Elle dit :

— J'aimerais vous proposer un échange.

— ...

— Je vous prête ce recueil, il est de Jean Rhys, une Dominicaine, elle a vécu à Londres, à Paris ; les histoires ne sont pas longues, c'est, heu...

— C'est une chance de pouvoir faire la connaissance de cette Jean Rhys : les vases communicants, j'adore.

Elle me passe le livre comme si on jouait un tour aux grands.

Je choisis une nouvelle au hasard et me retrouve au milieu d'un bistro parisien des années trente. Une femme seule observe : *Pendant les pauses, le pianiste feuilletait ses partitions d'un air maussade ou chantonnait de petits refrains mélancoliques. Dès qu'il jouait, la vie semblait se retirer de son visage apathique pour se réfugier dans ses mains virevoltantes.* L'histoire est simple, étrangement prenante. J'en lis une autre, c'est triste et intense : une vie entière racontée en quatre pages.

Je referme le livre. Le train ronronne, la climatisation a été coupée, le gamin dort, le bébé gazouille, la Merveilleuse se tourne vers moi avec l'expression du cuisinier qui demande des nouvelles de son plat :

— Alors, vous avez aimé ?

— C'est une découverte.

Elle me rend mon livre, je lui tends le sien. Elle le regarde en souriant : « Je trouve qu'elle réussit à décrire les choses naturellement, à partir de ses sens. Qu'en pensez-vous ? » Comme pour le vin, il faut savoir livrer sa première impression, je dis : « Elle économise les mots, c'est très *visuel...* » Elle est ravie.

Maintenant détendue, assise en tailleur sur sa banquette, elle retourne à Rhys, et moi, je prends un magazine de cinéma.

J'essaye en vain de ne pas trop la regarder. Je n'arrive pas à lui donner un âge, elle a un corps de jeune fille, change continuellement de position : une minute assise les jambes alignées, puis d'un seul mouvement, elle les replie sous elle comme une enfant. Maintenant, le pied dans la main, la jambe étirée toute droite... quelle souplesse ! Une ballerine ? Elle croise mon regard, rougit d'un seul coup, fronce les sourcils : « C'est qu'on s'ankylose à ne pas bouger ! » Elle se lève, s'éloigne dans l'allée, disparaît dans le wagon suivant.

Je l'ai trop regardée.

Le temps s'étire, redevient du temps ordinaire.

Je viens de passer un mois à Montréal, j'ai rencontré des filles séduisantes et intelligentes, mais pas une seule fois je ne me suis senti aussi... Aussi démuni.

Elle a dû visiter le train au complet. J'ai eu le temps de penser à des répliques enlevantes, c'est pas l'inspiration qui manque. Elle se réinstalle, très droite, les jambes croisées comme une dame, alors que je fais semblant de lire. J'attends de longues minutes avant de me lancer : « Vous allez loin ? » Belle originalité.

Mais elle me sourit :

— À Québec.

— J'ai mon frère qui est là. Une belle ville, Québec.

C'est fou, j'explose d'originalité. Polie, elle me renvoie la balle :

— Alors vous aimez les cabanes dans les arbres ?

— Oui, je compte en construire une.

Elle vérifie quelque chose au fond de mes yeux avant de continuer :

— Il faut prendre son temps, j'imagine, pour ne pas blesser l'arbre.

— C'est essentiel.

— Vous en avez ? Je veux dire : des arbres ?

— Oui, quelques-uns.

— Combien ?

— Ha, ha, ha ! En fait, c'est une forêt.

— Une forêt sauvage ?

— Une forêt sauvage.

— Avez-vous de la mousse ?

Elle est complètement naturelle, ça fait du bien. Pas de doute, elle aime les mousses, leur élasticité, leur résistance au piétinement. Elle dit :

— Quand on y regarde de près, la mousse n'est pas simplement verte, elle est multicolore.

— Parfois, je m'étends sur la mousse et j'ai l'impression que je pousse avec elle.

Elle éclate d'un rire frais, et je suis démesurément fier de ma répartie.

Elle me décrit les étapes de l'instauration d'un pré fleuri, conclut en disant :

— Ça prend trois ans, mais alors c'est une explosion de couleurs ! C'est sûr, il faut avoir le goût des choses qui se déploient lentement dans le temps.

— C'est exactement ce à quoi j'aspire en ce moment.

Elle regarde par la fenêtre, revient vers moi :

— Quand j'étais petite, dans le boisé chez mon oncle, j'aimais beaucoup m'occuper des micropaysages.

— Des *micropaysages*?

— Oui, quand on regarde attentivement, la forêt sauvage est remplie de petits décors qu'on dirait paysagés : une miniépinette qui pousse le long d'un petit sentier menant à l'ouverture d'un terrier... Tout à coup, ça ressemble à la maison d'un hobbit. Alors on nettoie un peu autour pour que la beauté soit plus apparente. Et nulle part devient le centre du monde.

— ...

— Oh, excusez-moi, je donne trop de détails, je...

— Mais pas du tout ! Je comprends ce que vous voulez dire : un beau matin, dans un sentier qu'on a pris cent fois, un rayon de soleil éclaire un champignon, et il devient la vedette du sous-bois.

J'ai droit encore une fois à son sourire.

Elle désigne mon magazine de cinéma, la grosse face de Jean Gabin : « Je l'aime bien, lui. » On parle de vieux films. Ses mains fines bougent dans le prolongement de ses mots, ses yeux brillent, elle est volubile comme quelqu'un qui n'a pas souvent l'occasion de parler. Elle dit :

— Certaines scènes très lentes sont gravées dans ma tête.

— Par exemple ?

— Un gros plan de téléphone noir à roulette qui sonne comme une alarme d'incendie. La caméra reste dessus sans bouger alors qu'il retentit une deuxième, une troisième fois. Un siècle plus tard, une femme entre dans le cadre, l'air bête, elle décroche et crie dans le combiné : *Commissariat de police !* Et on la regarde écouter quelqu'un qu'on n'entend pas. C'est trop palpitant, ha, ha ! Pour la même durée de film, le héros d'aujourd'hui a le temps d'aller dans un autre pays, de faire un accident de voiture, de survivre à une ou deux explosions…

— … de baiser deux, trois filles en chemin !

Surprise par ma réplique phallocrate, elle sourit tristement et se tourne vers la fenêtre.

Mais pourquoi ? Pourquoi j'ai dit ça !?! Je ne peux pas le croire.

Je laisse quelques kilomètres se dérouler sous nos pieds.

Je n'ose pas m'adresser à sa nuque.

Le petit garçon est parti aux toilettes, je me suis levé, rassis, relevé, rassis quand il est revenu. Maintenant c'est elle qui est debout dans l'allée, un sac sur le dos, un autre à l'épaule, elle me tend la main. « Je débarque ici. » Et le train s'arrête.

Quoi ? Je n'ai même pas remarqué que nous avions passé le fleuve, nous avons bien dû le traverser, c'est hallucinant ! La coupure est trop franche.

— Vous n'avez pas d'autres bagages ?

— Un vélo, dans la soute, mais ça va.

J'insiste, sors avec elle. Trois wagons plus loin, un employé me tend un vélo léger comme du balsa. Je le dépose sur le quai.

Elle met une main sur le guidon et me sourit : « Merci. »

Dans ma débâcle montréalaise, pas une seule fois je n'ai eu envie d'embrasser quelqu'un comme maintenant. On se serre la main :

— Bonne chance.

— Merci, vous aussi.

Je rembarque.

Par la fenêtre, je la vois, debout sur une seule pédale, donner une poussée de son pied libre et s'éloigner au ralenti, assise en amazone sur la barre.

Je ne comprends pas : je m'ennuie déjà de son sourire, mais j'ai oublié de lui demander son nom.

# Jungle

Je sors de la gare éblouie par le soleil. Devant moi, une fontaine moderne crache ses gerbes d'eau dans les airs. Par-dessus le cap et ses remparts, la silhouette de la vieille ville se profile à contre-jour, comme une découpe à l'exacto sur fond bleu : une guirlande de toits mansardés, de dômes et de clochers.

Il y a du monde partout. On dirait qu'ils ont rénové, tout est neuf, revampé. Juste là, une piste cyclable à trafic intense dans laquelle je m'insère comme on saute dans une corde à danser qui tourne.

J'ai hâte de voir mon appartement, ce n'est pas loin, un studio avec des feuilles plein les fenêtres, un balcon-terrasse avec vue sur le fleuve !

J'ai écumé mille annonces et opéré une sélection sévère. À force, on finit par décoder le baratin des proprios. J'ai évité un studio planqué dans un sous-sol, mis de côté une dame trop enjôleuse, repéré le truc *avec cachet* et plafonds bas ; on apprend à poser les bonnes questions.

Nous y voilà : 45 bis, rue des Navigateurs.

J'ai peut-être un peu idéalisé… C'est comme sur la photo : une maison blanche à deux étages et au toit mansardé, mais elle est au coin d'un boulevard, et flanquée d'un gros stationnement encerclé d'une rangée d'érables clairsemés… Après vingt minutes à chercher un endroit où cadenasser mon vélo dans la rivière de gens qui s'écoule sur les trottoirs, je sonne. Un grand homme maigre et chauve ouvre la porte, le poing fermé sur un anneau paré de mille clés.

— Pour le 45?

— Oui.

Il marmonne une bouillie inintelligible en montrant mon œil du doigt. «J'ai fait une chute de cheval.» Je ne sais pas pourquoi j'ai dit ça. Ça m'est apparu une raison noble d'avoir un bleu. Il hoche la tête, se penche sur l'anneau, choisit une clé et referme derrière lui. Le fond de son pantalon est usé à la corde. Il prend une autre clé et, trois pas plus loin, ouvre une porte enchâssée dans l'arche d'un grand porche de pierre.

Comme une automate, je passe de la lumière à l'ombre, la porte se ferme dans mon dos, le bruit des clés tinte dans le noir et l'humidité grimpe sur mes mollets. Mon instinct de survie se réveille, mais une autre porte est ouverte, la lumière éclabousse les pierres, et j'arrête d'avoir peur – ça m'énerve, ces sursauts de proie.

L'homme dit: «Les chevaux passaient par ici dans le temps, pour aller dans la cour.» La cour est maintenant asphaltée, c'est le pâturage d'une auto qui se repose devant une aile moderne annexée à l'ancienne maison. Une autre porte, une autre clé, un corridor étroit, jusqu'au bout: un escalier, une dernière clé, une dernière porte…

J'entre dans le studio, frappée de front par un parfum de rose à la cannelle qui flotte par-dessus une autre odeur plus chimique. L'homme allume les plafonniers, et brusquement tout est d'un blanc éclatant. Le sol est froid, pavé d'ardoise au grand complet, je frissonne. De toutes les fenêtres, on peut admirer les voitures en train de cuire au soleil du parking où un ruban lumineux bouffe le paysage par intermittences pulsées: PAYER ICI… PAYER ICI… PAYER ICI…

En me tordant la tête au-dessus de l'évier, je trouve l'endroit d'où a été prise la photo qui m'a fait choisir ce lieu, celle des fenêtres réjouies remplies de feuillage.

L'homme dit très fort : « Ici, tout est flambant neuf ! » Il se met à ouvrir et fermer les armoires, et la mélamine me souffle son haleine de colle fraîche au visage. Il entre dans la salle de bain, fait tourner les robinets du lavabo, de la douche et, en finale, actionne la chasse de la toilette. « Venez voir le balcon ! » Il ouvre une porte et s'y engouffre. Ah oui, c'est vrai : le fleuve ; un peu d'air... Je le suis dans l'escalier raide, pour déboucher sur une petite terrasse. Il vente, de gros cumulus musclés défilent comme des athlètes en parade. Les silos de béton du port barrent l'horizon, cordés comme des cigarettes dans un paquet neuf, et le fleuve est très loin, là-bas : un tout petit bout de Saint-Laurent.

Derrière le fouillis des mâts et des voiles ensachées dans le bleu nautique, des usines crachent une fumée dense de toutes leurs cheminées. Sur le boulevard, la circulation est continue : camions, voitures, autobus rouge à deux étages. Un humain s'est volontairement enfermé dans sa bagnole avec du métal hurlant pour clamer haut et fort son amour du hard rock. Nous redescendons dans l'appartement froid à la rose de synthèse. Je me tourne vers l'homme et je dis : « Je regrette, monsieur, je ne vais pas le prendre. »

L'argent que j'avais mis en dépôt est perdu, mais je ne peux pas vivre là. Je roule avec Furi, ma fidèle monture, ma vitesse en ce monde. J'ai une deuxième chance, cette dame, Adelia, *l'enjôleuse*... Dans nos échanges, elle me voulait beaucoup : *Vous correspondez en tous points à la locataire que je cherche, je crois que je vous aime déjà.* Mais j'ai quand même imprimé son dernier courriel, avec le plan et son message fleuri : *Je serai en voyage, les clés seront sous les bégonias écarlates.*

Je dépasse la gare, repense à l'homme du train, un grand brun aux yeux noirs, les cils super longs ; ses pommettes bien découpées, son front... C'était bien de parler avec lui. À un moment, ma main a effleuré son chandail et j'ai senti son bras, sous le lainage doux, aussi distinctement que si j'avais touché sa peau nue… Au début, je croyais qu'il était avec sa femme et ses enfants, mais non. Il était seul. Très seul même. Je l'ai vu dans son regard quand il m'a serré la main pour me dire au revoir, je vois la même chose dans le miroir, en me brossant les dents. J'ai bien aimé comment il a sorti le vélo de la soute d'une seule main, avec précaution. J'ai failli dire : *Il s'appelle Furi, vous savez.* Mais j'avais déjà trop parlé. C'est pas possible, ça, le premier gars que je rencontre depuis des semaines, et je te le tartine solide : une vraie usine à paroles, ouverte comme un livre.

Le long de la rivière Saint-Charles, je n'en reviens pas, mon souhait le plus fou a été exaucé : pendant mon absence, ils ont sorti la rivière de son carcan de béton. Les berges respirent, bien vivantes, plantées de vivaces et de plantes aquatiques, même les oiseaux sont revenus ! Il y a moins de monde par ici, je dépasse une femme vêtue de bleu pâle des patins à la tête, une vieille dame en fauteuil roulant et un cycliste qui me fait le sourire courtois des sportifs. Dans le parc Victoria, je m'arrête pour regarder le plan.

J'approche. Dans la rue où des ormes immenses se prennent pour des fontaines végétales, je prends par la ruelle : ici, elle doit déboucher dans la cour intérieure… *Yes indeed !*

Tout est exactement comme elle l'a décrit : … *le plus pâle des trois bâtiments, le patio près du lilas japonais…* J'attache Furi, grimpe les trois marches d'une terrasse où des pots de terre cuite conglomèrent au soleil. Dans l'assiette des bégonias les plus rouges, un petit sac de plastique noir contenant deux clés et un message : *Escalier extérieur jusqu'au troisième palier, la porte bleue, au milieu du couloir.*

J'entre dans un studio inondé de lumière, rempli de plantes de toutes les formes et de toutes les teintes de vert possible. C'est incroyable, on pourrait appeler ça une *jungle meublée*, une *serre à vivre*... Je marche à pas lents dans un royaume de chlorophylle qui sent bon. Les plafonds sont hauts, le centre de la pièce est dégagé, et le soleil tombe sur le plancher de bois blond. Je vais vers l'unique fenêtre qui fait tout le mur du fond, m'assois sur le large rebord. Quelle vue ! On domine des toits mansardés. Au bout de la rue, un cap boisé traverse le paysage, surmonté d'une tour et de maisons de briques accrochées les unes aux autres comme pour ne pas tomber.

J'explore. Amarrée au mur, une mezzanine aux piliers recouverts de lierre supporte un lit ; à côté d'un bosquet de feuilles géantes, un fauteuil flanqué d'un pouf et d'une lampe de lecture ; sous un îlot de palmiers : un coin-cuisine tout équipé et minimaliste à souhait.

Je fais glisser les grands rideaux de velours et les voiles diaphanes : l'espace se bariole de colonnes de soleil et d'ombre, on se croirait dans une forêt tropicale...

Ça va mal.

J'ai l'impression de ne pas mériter d'être ici, j'ai déclassé cette offre, je la trouvais trop enthousiaste, trop *gentille*. La dame : Adelia... J'ai *ri* d'elle.

J'ouvre une porte que je n'avais pas vue. Bien sûr, la salle de bain, toute jolie avec sa baignoire à pattes de lion. Une feuille rose collée sur le miroir :

*Chère Joëlle,*
*Bien que vous n'ayez pas répondu à mon dernier message, j'ai espéré que vous changiez d'avis et puisque vous êtes là j'ai été exaucée.*
*Bienvenue chez vous !*

*Adelia*

Le vent a changé brusquement de cap, une voile se gonfle dans ma poitrine, je vais vivre ici, dans cette Amazonie.

# Racines

Le taxi me dépose dans le neuvième rang, au pied de la colline. *Une semaine, et je reviens,* c'est ce que je m'étais dit en faisant mon sac. J'ai collé là un mois.

Je grimpe le chemin qui monte vers le sommet qui abrite mes cabanes. À la lisière de la forêt, une feuille d'un rouge éclatant dans le vert ambiant bouge de gauche à droite, prisonnière d'un souffle de vent, et salue l'été qui passe.

Je prends par la pinède, ma cathédrale, pour le plaisir de marcher sur son sentier tapissé d'aiguilles. Je respire l'air vif à pleins poumons.

Je suis de retour chez moi.

À l'origine, la terre appartenait à ma mère qui l'avait héritée de son père. Avec ma famille, on habitait La Pocatière, à seulement une heure de route, mais on ne venait jamais ici. Mon père était de ces marins qui ne supportent pas les insectes et que le silence de la forêt rend nerveux : il préférait la mer, le vent, les chums, les bars… Ma mère venait de temps en temps – je l'ai compris plus tard –, mais pour mon jeune frère et moi, le camp de la colline était un lieu vague et inintéressant. Nous, dans notre petite ville, on avait des amis, des vélos, des skates, un centre des loisirs où on pouvait jouer au hockey l'hiver et au soccer l'été. On était partout, on était libres.

Ma mère était libraire à temps partiel, mon père, avec son travail sur les chantiers de construction navals, il était là à temps très partiel, et c'était tant mieux.

J'ai longtemps espéré qu'il revienne changé. Quand il partait très longtemps, je finissais par m'ennuyer de lui. Il devait lui aussi s'ennuyer de nous, de Maman. À chacun de ses retours, mon souhait semblait avoir été exaucé : il avait pris des résolutions, il ne buvait plus. Bon : une petite bière, avant le souper, ou deux, si un ami passait à la maison.

Il était drôle, il jouait au frisbee avec nous, il préparait sa super recette de sauce à spaghetti, il nous aidait à monter la piste de course dans le salon. J'ai des images précises de lui : son grand corps allongé sur le tapis tenant la manette d'une seule main, il nous montre comment prendre les courbes, ma mère sourit, mon frère rit, invente une chanson. Durant ces périodes, on avait une vie de famille ; c'est tout ce qu'un enfant veut : une vie de famille normale. Un beau mirage, oui. Tu y goûtes juste assez pour en vouloir tout le temps.

Le jour arrivait où il partait en virée avec ses chums, et pas longtemps après, il pétait sa coche. Il fallait qu'il crie, qu'il casse quelque chose. Il n'était pas physiquement violent avec nous, il se contentait d'écrabouiller l'ambiance à grands coups de colères. On survivait à ces saccages grâce à Maman qui nous avait construit une vie en dehors de lui, pour que notre enfance continue d'être belle. Mais, un jour, j'ai arrêté d'espérer.

Je me souviens de la cassure. C'était le premier jour des grandes vacances d'été, son contrat commençait le lendemain, le timing était parfait. Il faisait super beau, et c'était entendu avec Maman que je soupais chez Antoine. On avait fait du skate, joué au basket et on était allés se tirer dans leur piscine. La limonade de sa mère était faite avec de vrais citrons. Pendant qu'on faisait exploser l'eau en perfectionnant nos bombes, son père écoutait du reggae, le sourire aux lèvres, en surveillant les hot-dogs sur le barbecue. Pour un gars de neuf ans, c'est le nirvana.

Quand je suis revenu chez nous, la lune était haute, euphorisé par ma journée, je courais, j'avais pris mon raccourci préféré, j'étais champion, je sautais par-dessus les haies sans les toucher. Je suis entré par la porte patio, essoufflé, souriant comme un imbécile, face à mon père en pleine crise, le visage déformé par la rage. Maman se tenait de dos, devant la fenêtre aux rideaux tirés. J'étais allé tout droit dans notre chambre. Nicolas, allongé sur son lit, les mains sur les oreilles, chantait un truc que lui seul pouvait entendre. Je me suis agenouillé pour lui parler : « C'est pas grave, Nico, on a juste à dormir, il oublie qu'on est là. On dort, OK ? » De l'autre côté du mur, mon père se déchaînait, vomissait un passé qui l'enrageait, se traitait de lâche, de faible, jusqu'à ce qu'il tombe évanoui de sommeil éthylique.

Les lendemains de ces belles soirées en famille, il prenait une douche d'une heure pour se rincer les esprits, se désengluer le crâne, tenter de retrouver une petite souvenance de la veille. C'était frustrant : il oubliait. Cette fois-là, en retard, il a gobé ses œufs, ramassé ses affaires, nous a bourrassé les épaules en appelant ma mère. Elle est apparue dans le couloir, la tête haute, et a ouvert les lumières du salon sur le bordel des coussins, des livres jetés face contre terre. Et, quand notre père s'est approché pour l'embrasser, elle a levé le bras.

On a arrêté de croquer nos céréales.

Il avait passé la porte le dos rond. On s'était concentrés sur notre mastication. Maman, debout devant nous, avait un sourire étrange :

— Allez vous habiller, les gars, on part pour le chalet de mon enfance.

— Quoi ? Le vieux truc pourri sur la colline ?

— Dépêchez-vous.

— Mais Mom ! Tu peux pas nous faire ça ! Non, Mom ! Sérieux ? !

C'était sérieux. En plein bois, sans rien ni personne sauf ta mère et ton p'tit frère, c'était ça, le plan… Merci, trop génial, quelle bonne blague !

Mon frère sautait de joie, j'étais furieux. Me forcer à quitter mes amis au début de l'été, c'était de l'abus de pouvoir ! Toute l'année, j'avais eu de super bonnes notes ! Je faisais partie de l'équipe de soccer, au cas où elle n'aurait pas remarqué !

J'avais eu beau faire une scène magistrale, ça ne marchait plus.

Elle avait passé une partie de la nuit à bourrer l'auto de stock. Nous avons roulé tout l'avant-midi en faisant mille détours, j'ai pensé devenir fou avec son parcours qui n'en finissait plus de finir, ses rangs d'arrière-pays avec des arbres, des arbres, des champs, des arbres… On arrêtait dans des fermes, des chalets perdus. Chaque fois, Nic sortait en courant flatter le chien, les vaches, le cheval… Il était prêt à flatter les poules ! Pendant que des femmes inconnues serraient ma mère dans leurs bras, je restais dans l'auto, les yeux plissés de colère, calé dans ma mauvaise humeur.

Ils rembarquaient avec d'autres trucs : un panier, un paquet, une boîte ; histoire de nous encombrer encore plus. Les tentatives de ma mère pour rentrer dans mes grâces – chocolat, fraises, popsicle déniché dans un dépanneur miteux – ne servaient à rien. J'encaissais les pots-de-vin sans sourire.

Malgré tous ces efforts, pourrir l'ambiance s'est avéré impossible, car mon frère est un type *joyeux*. Nicolas, pour faire honneur à son répertoire, s'était mis à enfiler ses chansons favorites, et il en avait des centaines. Déloyale jusqu'au bout, ma mère l'encourageait : « Bravo, Nico ! Une autre ! » Il allongeait ses finales, les aigus dans le piton. Et moi, malheureux, que personne ne comprenait sur cette planète, je pensais à Antoine et Léo en train de m'attendre au parc, et j'étais déterminé à bouder jusqu'à la fin de mes jours.

« On arrive », a dit ma geôlière.

On venait de quitter la route pour un chemin forestier, la camionnette fauchait les fougères, ça grimpait raide. On s'est arrêtés au bout de la piste, on est sortis au milieu de nulle part. Des arbres, rien que des arbres. L'auto était pleine à craquer, le tas de patentes qui dormaient au grenier depuis des années s'était apparemment transformé en matériel indispensable. Une distribution a commencé : chacun une lampe frontale, une chemise beige à manches longues, un pantalon d'explorateur multi-poches, des bas de laine et des bottes lacées en toile couleur sable, comme celles des soldats dans le désert… des bottes qui me faisaient à la perfection. Ma résolution de frustration perpétuelle aurait pu ramollir, mais je la nourrissais sans relâche. Maman nous avait donné des sacs à dos à transporter : « L'essentiel pour ce soir. Allons-y, les gars ! » J'étais monté derrière eux, les yeux rivés au sol comme un forçat.

Arrivé en haut, j'ai reçu le soleil couchant en pleine face. On était au sommet de la colline et dans la percée d'une clairière, on voyait le fleuve. Nic a crié de joie.

Il n'y avait rien là, voir le fleuve… On le voyait tout le temps, au bout des rues ; des fenêtres de l'école, il coulait de l'autre côté de l'autoroute, gris ou brun, selon la saison. Découragé, je regardais ma mère avec sa nouvelle face qui disait : « Après un bon ménage, on va pouvoir cuisiner dans le chalet. » Ça ne pouvait pas être vrai. Planté à côté d'un vieux pommier tordu, je crois bien avoir chialé.

Le soir tombait, j'ai vu ma mère monter une tente en un temps record, une grande tente avec matelas, sacs de couchage, oreillers et tout. Je ne l'avais jamais vue aussi dynamique. Elle a dit : « OK, maintenant, on fait un feu ! » Ses yeux étaient plus grands que d'habitude, des étincelles ont pétillé dedans quand les flammes ont jailli.

On a mangé le poulet frit, ultime tentative de ma tortionnaire pour me dérider. Puis elle a parlé de la toilette sèche. « La *quoi*? Une bécosse puante, tu veux dire ? » Tous les prétextes étaient bons pour garder mon air de beu. J'avais réussi, je m'étais couché avec. Épuisé, j'avais dormi comme une bûche.

Réveillé le premier, j'étais sorti de la tente, plein d'énergie. Ma colère, ranimée par mes rêves de tir au but, était aussi vive que la veille. Le plan était simple : j'allais me perdre pour que ma mère pleure et comprenne son erreur. J'ai mis mes bottes, rempli mes poches de barres tendres, sorti un jus de la glacière et pris le premier sentier du bord en décapitant une fleur d'un coup de pied. J'ai marché longtemps, la forêt est devenue plus dense, j'étais sûrement assez perdu pour avoir le droit de manger une barre tendre.

Assis sur une pierre, j'ai remarqué une échelle vivante faite des branches de deux arbres et de barreaux en planches à moitié avalés par l'écorce. J'ai levé les yeux, et je l'ai vue dans le feuillage : la cabane…

Je n'avais pas tant le vertige que la peur de l'avoir. J'étais un sportif ancré au sol : soccer, basket, skate… Jusqu'à présent, les occasions de me mettre à l'épreuve s'étaient toujours présentées en sortie de classe, là où il y avait du monde pour vous regarder avoir peur.

J'ai entrepris l'ascension des barreaux le cœur battant, mais c'était solide, je le sentais. J'ai atteint une passerelle de rondins attachés avec de la grosse corde de chanvre tressé, gardée de chaque côté par des filets de pêche. Grisé par ma propre audace, je l'ai parcourue jusqu'au balcon de la cabane et là j'ai regardé en bas. Ha ! Je n'avais même pas peur !

Cet exploit, ça m'a marqué : on pouvait vaincre ses peurs.

La fureur qui m'écrasait le thorax depuis vingt-quatre heures s'était désintégrée. J'ai fait trois pas vers la porte, tourné le gros diamant de la poignée. À l'intérieur, c'était sombre, des épées de soleil perçaient les lattes d'un volet. J'ai tâtonné, et dans un grincement de pentures, la lumière est entrée. J'étais vraiment haut ! Dans la trouée du feuillage, on voyait loin par-dessus les arbres, et le fleuve était vraiment beau... À cette hauteur, on distinguait la forme de ses îles, le ciel s'y reflétait, il était bleu et majestueux. Ce jour-là, le Saint-Laurent m'est apparu dans toute sa splendeur.

Dans la cabane, il y avait une petite table, deux chaises, un pouf poire et un vieux coffre que j'ai ouvert aussitôt en me sentant plus explorateur que jamais. Je ne sais pas à quoi je m'attendais, c'était le stock habituel : des bandes dessinées, des crayons, un vieux jeu de dames en bois. Le trésor a repris du lustre au fond du coffre quand j'ai trouvé le microscope. C'était plus qu'un jouet, c'était un vrai, top qualité, qui m'attendait dans sa boîte d'origine, vieux, mais neuf.

Sans transition, une faim de loup m'était tombée dessus. Soudain, j'avais hâte de raconter mon incroyable découverte à Maman et à Nic. J'ai couru au campement, je n'étais pas allé si loin que ça, finalement, ils étaient assis près d'une petite boucane au centre de la clairière. Nic avait crié : « C'est moi qui a allumé le feu ! » Ma mère m'avait tendu une assiette de pain doré baignant dans du sirop d'érable pendant que je faisais le récit de mes aventures. Elle avait souri :

— C'est ton grand-père qui m'a construit cette cabane. Elle est à vous, maintenant.

— Tu jouais là-haut, Maman ?

— Mange, mon grand.

J'ai regardé ma mère d'un œil neuf, même le pain doré était incroyable, on aurait dit que j'en mangeais pour la première fois.

Maman avait été adoptée très jeune, sa mère biologique était Malécite, mais dans la famille, cette histoire de sang amérindien n'était qu'une simple anecdote.

Cet été-là, j'ai découvert que ma mère connaissait le nom de tous les arbres, qu'elle savait reconnaître les plantes, les pistes d'animaux ; même les *crottes* d'animaux. Dans le chalet, les meubles construits par mon grand-père Henri étaient en bois noble et n'étaient pas pourris. La cuisine était tout équipée, une pompe manuelle donnait de l'eau fraîche. Il y avait un foyer de pierre, un poêle en fonte, une bibliothèque sous verre, deux peaux d'ours noirs et le parfait matériel du coureur des bois : des raquettes, une hache, un couteau de chasse, un vieux fusil.

Ça nous a pris deux jours pour tout dépoussiérer, mais c'est parce qu'on prenait notre temps. Maman disait à tout moment : « Alors, les gars, si on allait sauter dans le lac ? »

Se baigner dans un lac est quelque chose, y sauter en est une autre. Le lac n'était pas grand, mais il était profond, et il y avait une corde à Tarzan. D'une plateforme, on s'élançait, les deux pieds sur le plus gros nœud de corde que vous pouviez imaginer, et on se tirait dans l'eau en hurlant. Sur cette colline, on pouvait faire les fous, Maman ne semblait plus craindre les dangers mortels qui guettaient le moindre de nos pas quand nous étions en ville ; elle ne se contentait plus de s'étendre sur une serviette en maillot de bain comme elle faisait à la piscine municipale. Notre nouvelle mère aimait nager et rire, elle n'avait peur de rien, même pas des couleuvres.

Ce séjour avait été préparé de longue date. Dans un cabanon, il y avait du bois et un paquet d'outils. Un gars était venu au printemps, qui avait refait le toit du chalet et construit la toilette sèche. Elle n'était pas puante du tout, cette bécosse, c'était une maisonnette de pin avec de petites fenêtres qui s'ouvraient de chaque côté. Quand on avait terminé son affaire, on la recouvrait de deux louches de sciure de bois, et ça ne sentait plus rien ; ça sentait le bois. Maman nous avait dit que c'était interdit, nous étions donc hors-la-loi, et fiers de l'être : « Après tout, pourquoi chier dans l'eau potable… », disait notre mère qui commençait à parler comme nous.

Une fois, on a vu un faucon de près, il surfait sur le vent, le bout des ailes frémissant comme des doigts. Presque chaque jour, on voyait un animal nouveau, il y avait un bestiaire dans l'armoire aux livres. J'ai commencé une liste : faucon pèlerin, pic-bois, tamia, mésange, écureuil roux, lièvre, chevreuil, perdrix…

Un autre jour où il pleuvait, Maman a parti un feu dans le foyer de pierre, et on est allés au lac. C'était génial, se baigner sous la pluie, l'eau paraissait plus douce, plus chaude. On est rentrés en courant, au sec et au chaud. Maman avait gardé des surprises en réserve, elle nous a donné à chacun un cahier de pages blanches, très beau, avec une couverture en cuir. Nic s'était installé et avait commencé à dessiner. Moi, j'avais entrepris d'écrire une histoire : un gars échoué sur une île déserte qui découvre une cabane et doit inventer cinquante-six mille patentes pour survivre. Nous vivions ensemble, et chacun dans notre bulle. J'adorais ça. Il y avait beaucoup de livres dans le chalet, et même vieux, ils étaient bons.

Jusqu'à présent, j'avais voulu devenir astronaute ou joueur de soccer professionnel; sur la colline, mes horizons se sont élargis, j'avais maintenant le choix entre *explorateur*, *inventeur* ou même *écrivain*. J'écrivais tout qui me passait par la tête, et je n'avais plus peur de lire mes histoires à voix haute. Maman écoutait, Nic était super bon public aussi: à la moindre petite blague, il hurlait de rire. On passait beaucoup de temps, lui et moi, dans le bois, à explorer. La cabane était notre maison, notre forteresse, notre laboratoire. Les renfoncements de la charpente abritaient nos collections de squelettes d'animaux, de roches précieuses, d'insectes bizarres et de plumes d'oiseaux rares. Avec le microscope, on observait la poussière d'ailes de papillons, la vase, les écailles d'écrevisses, les poils de plante, les poils d'humain; Nic avait plein de bonnes idées.

Cet été-là, mon frère est devenu mon ami.

Chaque jour était une expédition, on allait cueillir des fraises, on partait en excursion aux chutes à Taupin ou sur le bord du fleuve. J'ai eu dix ans dans le bois, et ma mère m'a offert un canif: un petit couteau suisse. «J'ai confiance en toi, Maxime.» Je n'ai jamais oublié ça; le couteau, le livre à couverture de cuir, je les ai encore.

Nous dormions dans le chalet ou dans la tente, mais un soir, notre mère a inspecté le ciel et décrété qu'on allait passer la nuit à la belle étoile.

Maintenant, on était partants pour tout ce qu'elle proposait. On a étendu les peaux d'ours dans la clairière, on a mis nos matelas gonflables par-dessus et nos sacs de couchage avec nos oreillers enfouis au fond pour les protéger de l'humidité – on connaissait tous les trucs –, et après on a fait un feu moustique. Ça, c'est un petit feu étouffé par des herbes vertes, ça donne une fumée blanche épaisse, et tu sautes par-dessus la boucane, tu t'en mets partout en dansant au-dessus, pour t'enfumer bien comme il faut. Après, on s'est couchés. Les étoiles se sont allumées une à une, et de plus en plus vite, il y en avait des milliers… Sous la voûte céleste, écrasé par la beauté du ciel, je ne comprenais plus mon échelle. J'ai laissé tomber ma pudeur de grand gars, et comme Nicolas, je me suis blotti contre Maman.

Un après-midi qu'il pleuvait, nous étions dans le chalet à jouer au Monopoly, quand on a entendu le bruit d'un moteur s'éteindre et la voix éraillée de mon père crier : « Tania ! »

Il avait bu, c'était évident. Maman nous a dit de sortir par-derrière. Nous avons couru, grimpé jusqu'à la cabane. L'air humide transportait leurs cris, pour une fois, ma mère criait elle aussi, on ne reconnaissait pas sa voix. Nicolas s'est mis à pleurer fort. Je l'ai entouré de mes bras. Il sanglotait au point d'en avoir le hoquet, ses soubresauts me traversaient le corps et je me suis mis à brailler moi aussi. Je pleurais le bonheur de l'été, il avait été si *tangible*. Je le croyais solide comme un arbre, mais la seule présence de mon père l'avait transformé en échafaudage fragile.

Les cris ont cessé, la pluie aussi. Nous nous sommes calmés peu à peu. Notre arbre dégouttait distraitement sur le toit de tôle, un oiseau a chanté, et la voix rocailleuse de notre père a éclaté dans la forêt. Il nous ordonnait de descendre.

J'y suis allé le premier, j'ai mis le pied au sol, fait un pas et me suis retourné juste à temps pour voir Nicolas tomber. Nic était très agile, l'échelle n'avait jamais été un problème pour lui, les barreaux devaient être glissants à cause de la pluie, et il avait perdu jusqu'à sa dernière molécule d'énergie tellement il avait pleuré. Une chute de trois mètres. Le cri qui est sorti de lui était terrifiant. Quand mon père l'a relevé, le bras de mon frère avait un angle bizarre, j'étais horrifié. La seconde suivante, ma mère l'emportait comme une partie de son corps. Je suis resté seul avec mon père, qui s'était remis à crier : « Tu vois ! Qu'est-ce que ça donne, de vouloir vivre comme des sauvages ! » Puis il a semblé réfléchir avant de faire demi-tour dans le sentier.

Je l'ai suivi de loin. Caché comme un lièvre dans les sapins, je l'ai vu se prendre une bière, la déboucher, la caler, sortir la scie à chaîne du camion, la poser au sol et la regarder comme s'il n'avait jamais vu une scie à chaîne de sa vie. J'avais compris.

J'ai couru comme un fou récupérer nos trésors : le crâne de vison de Nic, ma collection de plumes, le microscope ! J'ai eu le temps de faire deux voyages, avant qu'il apparaisse dans le sentier, puant l'essence à dix mètres. J'ai voulu grimper une troisième fois, mais il a crié : « Vas-tu descendre de ton maudit nid de singes ! Attends-tu de te casser une jambe, toi avec ? » et son engin a démarré comme un tigre en colère. Le prédateur à moteur n'a eu aucune pitié.

De mes yeux, j'ai vu mon père attaquer l'écorce, entailler un arbre plus vieux que lui, s'acharner à détruire, en dépit de tout : malgré la beauté de ma mère, malgré l'amour, malgré l'enfance. Et, à travers mes larmes, je pensais au fusil accroché au manteau de la cheminée, et j'aurais aimé connaître les gestes, savoir comment mettre la cartouche… Quand l'arbre s'est effondré, je me suis bouché les oreilles, étourdi par mon propre cri. La terre a sursauté, et il ne me restait plus un seul atome de respect pour mon père.

# Demain est partout

Je nage, nue, dans une mer turquoise. Je suis amphibie. Le soleil plante ses rayons jusqu'au fond de l'eau, c'est le ciel à l'envers, je jubile, je crie, la face pleine de bulles. Des poissons magnifiques me suivent, en banc, à travers les colonnes de lumière, ils sont bleus, rayés d'un arc-en-ciel, ils m'aiment et me le disent en télépathique. Je leur réponds dans la même langue : « Lâchez pas, les poissons ! » Ils m'adorent. Je marche dans une ruelle et je trouve un bébé à côté des poubelles, il n'est pas sale ni rien, il sent le bébé. Je le ramène chez moi et le mets dans un grand panier plein de coussins doux et moelleux. Le téléphone sonne, sonne, je n'en peux plus, je le lance dans le fleuve.

J'ouvre un œil, la fin de mon rêve se désagrège en fines gouttelettes volatiles et part en orbite dans la galaxie des pensées insaisissables.

Il est tôt. Je m'étire comme un chat sur le lit de la mezzanine. Moi, Joëlle Première, surplombant la canopée de ma forêt personnelle. Je ne suis ici que depuis trois jours et je me sens déjà chez moi. Trois belles journées charnues. Rien que de pouvoir dire *chez moi.*

Qu'est-ce que j'ai fait depuis trois jours ? Rien.

Non.

J'ai fait un paquet de choses, j'ai acheté un scanneur, une borne wi-fi et un nouvel ordi. Il est vierge. Mon vieux portable se repose sur une étagère. J'efface tranquillement mes traces, bientôt, je vais pouvoir travailler pour le Eff-bi-aille. J'ai tamisé ma liste de contacts pour ne garder que les pépites d'or à qui j'ai donné mon nouveau courriel. Je suis en train de fignoler mon site web : www.rebond.ca. Mon cousin me demande de *jazzer* le document promotionnel de son entreprise de dépollution des sols, la revue littéraire veut une illustration de femmes en plongée sous-marine : pas pire, pas pire ! Je leur ai envoyé quelques esquisses, j'attends leurs commentaires.

Qu'est-ce que je fais ? Je roule, je me promène, je regarde. Quand j'ai faim, je mange. J'apprivoise un royaume où j'ai décriminalisé la sieste.

Je suis ce pèlerin qui a marché des jours dans une forêt obscure et raboteuse, pleine de roches et d'épines hirsutes, et qui, soudain, débouche dans une plaine radieuse semée de foin doux qui chatouille les mollets.

J'ouvre grand les rideaux, et la lumière balaye le territoire d'un geste large.

Je fais mon enchaînement, ma gym paresseuse, qui réveille tous les muscles.

Installée dans l'alcôve de la grande baie vitrée avec un bol de céréales, je bois le ciel, je ne m'en lasse pas. Il y a beaucoup de petites cours intérieures qu'on ne voit pas, des arbres en jaillissent, à travers les toits. De l'autre côté de la rue, une courtepointe de petits carrés multicolores se balance, nonchalante et nostalgique comme un sourire de grand-mère.

Tiens, une échelle vient d'apparaître à la fenêtre de la corde à linge, deux bras bronzés la posent sur le toit plat du garage d'en dessous. Un gars en t-shirt rose traverse le cadre et descend l'échelle d'une main avec, dans l'autre, une guitare. Sa tignasse noire part dans tous les sens, on ne voit pas son visage, encore moins quand il se penche pour jouer, assis au bord du toit, relax, les jambes dans le vide. Il joue bien, je reconnais Bob Dylan,

*Blowing in the Wind*… Maintenant, il improvise, sa main est en cavale sur les cordes, sa voix fait des hip et des hop. En finale, sa tête part en arrière, ses cheveux fouettent l'air et il rit. C'est beau, ta musique, Troubadour. Je l'ai vu, son beau profil de gitan.

Je range la cuisinette, avant de remplir l'arrosoir. *Je vais bien m'occuper des plantes, Adelia, tu vas voir.* Camouflé sous une grosse feuille de monstera, je trouve un vieux téléphone vert olive, je décroche le combiné et contre toute attente, il fonctionne.

Je ne me suis pas racheté de téléphone. Chaque fois que l'idée me traverse l'esprit, je me revois, penchée dessus, le déverrouillant à tout instant, un peu compulsive quand j'attendais un message de Jim. Je vois les autres, partout, dans leur bulle…

Ma capacité à être contemporaine diminue peut-être avec le temps. J'aimerais revenir à l'époque où les réseaux étaient hyper sociaux, mais pas numériques, au temps des lettres cachetées à la cire confiées à un courrier équestre, et des messages enroulés aux pattes des pigeons… J'imagine mon oiseau préféré au creux de mes mains, je souffle un dernier encouragement dans le paquet de plumes tièdes et je le lance dans le ciel !

Je n'aime pas la précipitation. J'aime le gros luxe de penser en respirant : le temps, comme un arbre qui pousse. Alors fini le facebooking, fini le gazouillage qui fait éclater la journée en mille gouttelettes d'instants flous ; aussi bien écrire ses pensées à l'encre délébile sur des kleenex et les jeter sous la pluie. Tout ça, c'est chronophage, ça te bouffe des minutes à la seconde et ça te les recrache rongées à l'os. Y en a marre des pensées biodégradables, du journal *extime.* Mon journal, je le préfère *intime* et sur papier moleskine, s'il vous plaît.

J'ai perdu mon temps à Montréal, ou je l'ai trop occupé, ce qui revient au même. Je m'agitais, fébrile et clignotante comme une luciole en rut. Quand j'y repense, les scènes déboulent dans ma tête dans un tourbillon de fulgurances : *Jim, Jim, Jim* : l'aimer, être aimée de lui. Être belle, pétillante, douce, lisse, et toute de noire vêtue. Nettoyer derrière lui : *Jim, Jim, Jim.* Travailler, travailler, sourire, ne jamais pleurer ; le surprendre, l'épater, réserver des billets, des restos… Chaque fissure de temps comblée à bloc, si tu t'arrêtes, tu meurs. Le temps comme un gaz qui brûle. Ta vie : ta bombonne.

Un extraterrestre me demanderait :

— Alors ça va, ton monde ?

— Hé, ça va vite ! C'est encombré de bébelles, de bombes, de fausse démocratie et de vrais dictateurs. T'as pas idée, c'est l'ère du *Power Speed Flash Cash*, et la barbarie fait un retour en force, il y a une compétition, c'est à qui sera le plus cruel, et les femmes payent. On avance à reculons dans la destruction du vital, tu vois.

— Je ne te comprends pas, dirait l'extraterrestre en fermant son œil.

Je pourrais appeler ma sœur Sonia, dire salut… Ça fait des mois que je l'ai vue.

La dernière fois, elle m'avait donné rendez-vous à leur hôtel, près de l'aéroport de Montréal, ils prenaient un vol le lendemain pour passer le temps des fêtes à Cuba. J'avais imaginé voir les enfants, souper avec eux. Mais, quand je suis arrivée, Colombe et Hugo étaient partis jouer dans une arcade avec leur père. Je m'étais tapé un trajet de bus interminable pour ne trouver que ma sœur dans une vaste chambre beige, enragée contre son coiffeur :

— *Cendré !* J'avais dit : *cendré*, et regarde le jaune qu'il m'a fait ! Ça va verdir dans la piscine, c'est tout ce que ça va faire !

— Mais Sonia, tu auras la mer, chanceuse.

— Je déteste la mer.

Elle détestait aussi la bouffe des tout-inclus et les gens inclus dans les tout-inclus. Je l'avais écoutée se plaindre en regardant une tache sombre sur le tapis. Après, elle avait voulu faire une sieste. J'avais repris le bus pour l'autre bout du monde.

Bon. La journée est jeune, elle a besoin qu'on s'occupe d'elle. Je sors explorer le cap boisé que j'aperçois de ma fenêtre. Je marche sur le trottoir de la rue Arago qui en longe le seuil et, bientôt, je croise un escalier de bois. Il grimpe sous le feuillage des grands saules : trois longues volées de marches accrochées à la pente, tachetées de rondelles de lumière verte et jaune comme un léopard végétal.

À mi-parcours, les cuisses en feu, je m'arrête pour m'étirer le droit antérieur. Québec est une ville *tonique*!

Au sommet, une tour Martello se tient en vigie, empiétant sur la rue Lavigueur, massive et ronde sous son toit de bois. Quand on la dépasse, le trottoir s'élargit en petit parc belvédère planté de boules de cèdre, avec ses deux bancs publics, sa poubelle et une dame en train de se faire promener par son chien.

Je m'accoude à la balustrade, projette mon regard le plus loin possible, au-delà des banlieues tentaculaires, dans le bleu des vieilles montagnes. Comme ça fait du bien de voir large. Tous ces toits, tant de vies, toutes singulières… Et en bas, juste là : le bâtiment qui abrite ma paix. Il y a quelque chose de doux dans le fait de voir son logis de loin. J'agite la main pour dire bonjour à mes fenêtres et c'est un peu comme se saluer soi-même : un miroir, mais en plus joyeux. J'éclate d'un rire que je n'ai pas senti venir.

« Vous riez, madame ? C'est plaisant, les gens ne rient plus. » Je me retourne.

Sur le trottoir près des maisons, un petit homme aux cheveux blancs et au sourire ébréché est debout à côté d'un tas de boîtes, un panier sanglé sur le dos. Il se penche sur le fatras de choses mises au chemin, se redresse, un livre à la main, et s'approche en me le présentant comme un cadeau. « Vous seriez du genre à l'aimer, celui-là. » Prise au dépourvu, je fais trois pas vers lui, vers le livre, en fait, car je l'ai reconnu, c'est celui de Paul, l'ami de mon père. C'est complètement fou, ce livre, Papa me l'avait donné, il est parti dans les flammes de mon appartement, et le voilà qui réapparaît avec son joli titre en lettres rouges : *Mais qui va donc consoler Mingo ?* Je relève la tête. Cet homme ne dégage que de la gentillesse. Il dit :

— Prenez-le, il vous tente.

— Oui, c'est vrai, il me tente. Merci, monsieur.

On se serre la main, il plisse les yeux dans le soleil, avec un air de père Noël qui aurait fait la fête toute sa vie.

Je redescends l'escalier en me sentant légère. Une exaltation tranquille entre par mon sourire et se coule dans mes veines, un début de confiance, un bébé certitude : les choses ne peuvent pas toujours aller de mal en pire, un jour les choses se tannent et décident d'aller de pire en mieux.

Quand je rentre, mon écrin végétal baigne dans une lumière dorée. J'enlève mes souliers, le contact du bois chaud de soleil donne envie de danser, alors, je danse, sur les volutes du silence. Pieds nus chez soi : on aime ça.

J'ai faim, j'ai super faim. Je sors faire les courses dans mon nouveau quartier. Il est midi, la rue Saint-Joseph est animée : des jeunes, des vieux, des poussettes, des vélos, des gens dorés, noirs, blancs ; des pomponnés, des tatoués… Un vrai quartier, bigarré.

Il y a des cafés, une pâtisserie, une épicerie, un resto végétarien, une boucherie bio, une boulangerie, un magasin d'huiles essentielles, des commerces sud-américains, indiens, français, bretons, japonais. Dans la vitrine de la boutique africaine, je lis : *Extension de cheveux 100 % humains.*

Dans ma serre, je me patente un sandwich endive-avocat-mangue et j'ai envie de hurler tellement c'est bon. En rangeant les provisions, je trouve une grosse radio au fond de l'armoire : le genre de *ghetto-blaster* que mon père gardait dans le garage pour écouter du rock planant. Il est muni d'un lecteur CD et *cassettes*… Sans blague. Il y a aussi une boîte remplie de CD.

Allongée sur le tapis, les yeux fermés, j'écoute *Foule sentimentale.* Je ne fais rien d'autre qu'écouter.

Cette chanson doit avoir plus de vingt ans, et on dirait qu'elle a été écrite hier. Je laisse les paroles merveilleuses entrer par tous les pores de ma peau et, durant ces jouissives minutes, je suis totalement amoureuse d'Alain Souchon, de ses mots, de sa voix, et après je suis comme ramollie.

Aujourd'hui, je me réveille dans le matin bleu avec l'impression d'avoir rendez-vous avec un vieil ami. Oui, ça fait trop longtemps qu'on s'est vus.

Je mange une barre tendre d'alpiniste, me réchauffe et enfourche Furi. Allez, cheval : au château ! Les rues sont désertes, je grimpe, pousse et tire le guidon vers moi de toutes mes forces. C'est Québec, la belle dénivelée, mais après l'effort, quelle récompense : passer sous la grande porte de pierre les bras en l'air, comme si on portait le maillot jaune, en roue libre dans quatre cents ans d'histoire.

Au pied du château, Champlain sur son cheval de bronze se découpe sur fond de ciel rose. Je ne suis pas en retard. Il n'y a personne. Je marche à côté de

Furi jusqu'aux limites de la terrasse et là je déguste la perspective d'une splendeur absolue. C'est presque incroyable que ce paysage-là, ce soit chez moi. *Majesté, fleuve Saint-Laurent, comme vous êtes beau, comme je vous aime.* Large et généreux, encastré dans ses montagnes, il se fend en deux pour son île, l'île d'Orléans… C'est comme si j'entendais chanter Félix Leclerc.

Un petit groupe d'Orientaux arrivent en parlant à voix basse, respectueux du jour naissant, préparant leurs caméras pour l'événement. Ils sourient, je souris, tout le monde sourit parce que le voilà, celui que nous attendions tous.

Caché derrière les Appalaches, le soleil brandit ses épées de lumière avant de dévoiler sa cambrure de feu, et en quelques secondes, il n'y a plus que lui. Mes compatriotes de l'instant précieux mitraillent la montée de la sphère en lançant de petits cris émerveillés et leurs cheveux d'encre brillent comme de la soie rouge. La boule rubis détachée des montagnes se réfugie derrière un nuage solitaire qui se transforme en dentelle d'or.

Je m'imprime ça dans le cerveau.

En allemand, le mot *lune* est masculin, et *soleil* est féminin. Je ne sais pas pourquoi j'aime tant cette idée. J'imagine une femme soleil aux cheveux blonds en couronne autour de sa tête comme des rayons…

J'ai la nostalgie de mon frère, sa folie, sa façon désinvolte d'être dans la fureur de vivre… Victor, qui aime sa douche bouillante et sa bière fraîche – pas froide. Je ne le vois pas assez souvent à mon goût. Ancien alpiniste devenu éclairagiste, il tourne, harnaché dans les hauteurs des stades avec les gros spectacles de ce monde : U2, Céline…

On s'écrit. Je ne l'ai pas enseveli sous les détails, mais il sait : l'incendie, la tromperie. Mon frère multicolore…

Je suis une impulsion subite et compose le numéro de ma sœur. Je suis chanceuse, c'est elle qui répond :

— Sonia, saluuut ! Ça va ?

— Ça va.

— C'est Joëlle.

— Je sais.

— Est-ce que je te dérange ?

— En fait, j'allais sortir.

— Je suis à Québec.

En disant ça, c'est fou, je regrette déjà la perte de mon incognito, cet état vaste comme un champ de brume où on ne voit pas grand-chose, mais où il est permis d'imaginer n'importe quoi. « Tu cherches où dormir, ou t'es déjà chez quelqu'un ? » Cette dernière idée me semble excellente.

— Oui, je suis en visite chez des amis ! Alors, toi, ça va ? Richard, les enfants, ils vont bien ?

— Très bien. Les enfants performent. Colombe, la tête dans les nuages ; Hugo, pareil. Ah, Joëlle, pendant que j'y pense : tu as une malle ici qu'il faudrait que tu reprennes. Ça fait dix ans qu'elle embarrasse le sous-sol, on est en plein travaux, et j'ai besoin d'espace, tu vois.

Une malle ? Soudain, je revois le vieux coffre de métal cabossé dans ma chambre. Je l'avais complètement oublié !

— C'est génial, Sonia, merci de me l'avoir gardée toutes ces années. Je vais te débarrasser de ça demain, si tu veux !

— Ah non, demain, c'est impossible : les travaux étaient censés se terminer le 2 et ça va se prolonger jusqu'au 5, je dois compléter l'équipement de Hugo pour le 8, le concert de Colombe tombe le 10…

— Un concert de piano ? Je peux y aller ?

— Si tu veux. Mais c'est à trois heures et demie, et il faut être à l'heure.

— Au collège des Ursulines, c'est ça?

— Oui. Écoute, Joëlle, je n'ai pas le temps de parler, il faut absolument que j'y aille.

— Oui, oui, excuse-moi, Sonia. À bientôt, alors.

Elle a soufflé son petit *Bye* résigné – elle fait toujours comme ça au téléphone, comme si tout ce qui l'attendait après était de l'ordre du pénible.

On pense qu'on a tout perdu, et les choses refont surface. Je ne me rappelle plus trop ce qu'il y a dans ce coffre, des dessins, ça c'est certain... mes cahiers d'école, des images, mes souvenirs d'enfance...

J'ai hâte de voir Colombe. Ah, c'est génial d'avoir hâte à quelqu'un.

En m'éloignant de l'incendie, ce jour-là, je l'ai vue, ma chance. C'était aussi palpable que du bois, aussi tangible qu'une roche de granit. Je ne dois pas l'oublier, jamais.

C'est mon tour d'être en vie, j'ai droit à mon bout d'époque. Cette femme, Rosie, qui a péri dans les flammes, je ne la connaissais pas, mais on se ressemblait: elle était née la même année que moi, elle avait eu une enfance, une adolescence, elle était devenue adulte et habitait Montréal, dans mon immeuble. Ce qui nous éloigne le plus, la plus grande différence au monde, c'est qu'elle est morte et que moi, je suis vivante.

# Patrimoine

J'ai dessiné la cabane dans ses moindres détails, je la fais pivoter, modifie un peu la position d'une petite fenêtre. Ça cogne à la porte. C'est Selfrid.

Il ne vient pas souvent me voir le matin. Il entre, me serre la main : « Max, t'aurais pas de la gazette ? » Une fois lu, le journal prend le nom de *gazette*, passant de source d'information à source de combustion.

Je lui refile *Le Devoir* de samedi. « Self, as-tu deux minutes ? Tire-toi une bûche. »

Pour augmenter mes chances qu'il accepte, je me précipite sur le moulin à café et pars bruyamment la machine : il adore mon espresso ; le tourbillon des lames pulvérise une éventuelle réponse négative de sa part, et la pièce se remplit du *spleen* corsé des grains colombiens. Il s'installe à table, déplie d'un coup sec la gazette qui reprend *de facto* son statut de journal. Je suis content de le voir assis. Il se lève à l'aube et reste en mouvement jusqu'au coucher du soleil. Vous pouvez lui demander n'importe quelle action, mais le faire s'asseoir est une espèce d'exploit.

Deux boissons fumantes atterrissent sur la table – la sienne, sucrée au sirop d'érable.

Il vient de terminer un article sur les sables bitumineux :

— Du vrai gaspille, c't'affaire-là ! Va-t'y falloir attendre qu'y reste pus une graine de bonne eau nulle part, pour qu'y se rendent compte que le sable, ça se boit pas ?

— Ça pollue, c'est avoir la vue très courte de continuer ça.

— Moi, quand j'étais jeune, Max, un ruisseau pas de poissons, ça existait pas.

— Moi aussi, j'ai mal à ma nappe phréatique, Self...

Il me jette un coup d'œil douloureux que je ne déchiffre pas.

— Qu'est-ce qui se passe?

— J'ai cherché Roc une partie de la nuite, le sacripant... J'ai fini par le trouver dans un fossé, la patte pognée dans un paquet de cordes.

— Il est où, là?

— Y dort dans maison, bin abrié. J'vas y faire un feu de poêle.

— Il rajeunit pas, ton Roc.

Il pousse le journal du coude, s'appuie sur le dossier de la chaise et regarde quelque part au loin. « Selfrid, viens voir, j'ai un projet à te montrer. » Il se lève, soulagé. Je l'entraîne vers mon bureau.

— Tu sais, le grand chêne, il est en pleine forme.

— Y a même pas cent ans! Qui c'est, tu penses, qui a monté la garde icitte pour pas qu'on te coupe tes beautés?

Il freine le pas à l'entrée du bureau, le désordre peut faire peur, je l'avoue, mais on dirait qu'il scanne les lieux à l'affût d'une nouvelle machine diabolique que j'aurais pu installer depuis la dernière fois; j'exagère à peine... Pas trop trop techno, le Selfrid, c'est le moins qu'on puisse dire. Le jour où je me suis branché au réseau et qu'il m'a vu parler avec Alexis sur Skype, sa réaction a été explosive : il était labouré d'indignation. Je lui ai tout expliqué, il comprend, ça l'inquiète, justement. Il est convaincu que, si on peut voir ses amis à l'autre bout du monde et que nos amis nous voient, le *gouvernement aussi* peut nous voir, et ça rend mon écran d'ordinateur *malaisant*... En ce moment, je souris comme une hôtesse de l'air en lui montrant un fil de wi-fi non branché, je souffle dedans comme un agent de bord qui fait semblant de gonfler la veste de flottaison, mais ma blague tombe à l'eau parce que Selfrid n'a jamais pris l'avion.

— Regardez, monsieur Desjardins, j'ai collé un post-it sur la caméra de l'écran.

— Si tu veux mon avis, les caméras grosses comme des mouches, ça augmente les possibilités d'écorniflage.

— Oui, Self, mais assois-toi ici, s'il te plaît, regarde ça...

J'étais paré, je pose la pile de feuilles sur ses cuisses, et j'en reviens pas, il plie les genoux, il s'assoit !

Ce sont mes meilleurs croquis préliminaires, dessinés sur place, autour de l'arbre élu, celui qui soutiendra la construction de la cabane et grandira avec elle. J'ai mélangé souvenirs, désirs, enfance, expérience, et puis j'ai simplifié. Il ne dit rien, il regarde chaque dessin avec attention. Je touche le clavier de l'ordinateur en veille devant lui, la cabane apparaît en 3D, et il laisse échapper un petit cri. C'est bon signe. Je lui montre les planches techniques, en plans, en coupe, en élévation, et il a l'air ému.

« Hé que ta mère aurait été contente de voir ça, Max... Étania est partie vite, mais on l'oublie pas. » Il prononce rarement son nom, mais comme tous ceux qui ont connu ma mère, quelque chose change dans sa voix. Ils en étaient tous plus ou moins amoureux.

Je me suis rendu compte sur le tard de la beauté de ma mère. Dans notre vie de tous les jours, elle portait des jupes au genou, des pantalons noirs, des chemisiers bien repassés, un chignon serré sur la nuque. Elle attrapait son sac de cuir et partait travailler à pied de son pas dynamique. Si on m'avait demandé alors de décrire ma mère, j'aurais répondu : elle a l'air d'une mère *normale*.

C'est durant ce fameux été passé ici que mes yeux se sont ouverts. Je m'en souviens : elle s'était lavé les cheveux au ruisseau et tournait sur elle-même pour les faire sécher. Les paumes levées vers le ciel, en robe à fleurs, ses cheveux comme des pales d'hélicoptère autour de sa tête, et après comme une cape de soie noire sur son dos. Quand j'y pense : elle n'avait que trente-deux ans. Ma belle Maman… Elle a été d'une santé resplendissante toute sa vie jusqu'à ce qu'un cancer la fauche en moins de six mois, à quarante ans.

Selfrid m'a dit qu'il y était, à l'enterrement de Maman. L'église était pleine à craquer, je n'ai rien vu, j'avais dix-sept ans, j'étais dans un trou noir, perdu, complètement seul avec ma peine immense, incapable de pleurer, incapable de consoler Nicolas, qui braillait comme un veau.

À la mort de notre père, tout s'est passé différemment – dans les derniers temps de sa vie, il avait réussi à se mettre tout le monde à dos –, il y avait Nic, le notaire, moi et le défunt dans une urne. Personne ne pleurait.

Pour l'héritage, on a réglé ça sans complications. J'ai dit à Nic de choisir en premier, il a pris l'appartement de Québec et j'ai hérité du vieux chalet. Je m'en foutais un peu, je venais d'emménager avec Félicia dans notre maison, ma boîte avançait sur les chapeaux de roue, j'étais dans ma vie effervescente. Pendant dix ans, l'idée de venir ici ne m'a même pas traversé l'esprit. Je payais les taxes en souvenir de Maman.

Aujourd'hui, en haut de ma colline, parmi les bruits de la forêt et le souffle du vent, je saisis mieux celui que j'étais, l'idée que je m'étais fabriquée de moi : un homme *au sommet* capable de ne dormir que quatre heures par nuit… Boulimique, je voulais, je voulais beaucoup. Sanglé dans ma vie à vitesse exponentielle, je fonçais, le sourire aux lèvres.

Et l'impensable est arrivé : j'ai perdu Félicia.

Un matin pluvieux de mai, une voiture tourne le coin trop vite, et votre amour ne sera plus jamais dans vos bras. Vous vous retrouvez sous un ciel terne et épais, debout sur une minuscule plateforme battue par les vents, une corde élastique attachée aux pieds. C'est l'image la plus juste : le saut dans le vide qui t'ouvre les bras. Un sport extrême stupide, une suite de chutes dans le travail, la fête, la baise… J'ai usé l'élastique à la corde, jusqu'à ce qu'il pète. Si je ne suis pas tombé de haut, c'est que j'étais déjà au fond, je n'ai fait que m'enfoncer dans la vase.

Le fond fait douter.

J'étais parti en plein milieu du party qui avait suivi un gala où notre boîte avait remporté autant de prix que de mépris. L'âme poisseuse, je m'étais éjecté de Montréal sur un coup de tête, comme tout ce que je faisais à cette époque.

Carburant à la furie enragée, j'avais roulé longtemps, n'importe où, pour aboutir dans ce cul-de-sac : un dépotoir naturel entouré de bâtiments désaffectés. Par un détour du vent, tout ce qui avait été jeté de l'autoroute depuis les cent dernières années se retrouvait prisonnier de ce creux de terrain. Un goût de ruine dans la bouche, j'avais assisté au lever du soleil, je l'avais regardé jusqu'à la fin gaspiller son rayon rose sur la laideur du monde. Assis dans ma bagnole, sans but, j'ai allumé le GPS et vu que le vieux chalet était à moins d'une heure de route. Je suis reparti. J'ai traversé des villages, viré au sud, vers les montagnes, jusqu'à atteindre le rang le plus haut. Je roulais vite, tout avait changé, je ne reconnaissais rien. Et soudain je l'ai vue : la colline. J'ai freiné, je suis sorti dans un nuage de poussière jaune.

Oui, c'était bien ça, au bout là-bas : la colline avec une paroi de calcaire en forme de dent. J'ai pensé à la joie de cet été-là, abattue par mon père, à la cabane, au chalet que mon grand-père avait bâti de ses mains et que j'avais laissé tomber en décrépitude, et tout ça était en symbiose avec mon propre état de délabrement.

C'était la fin du mois de juin, la nature était dans l'effervescence totale, mais moi, je ne voyais rien. Encrassé d'une colère diffuse, j'étais ce veuf, cet homme d'affaires affairé, en habit de soirée dans un rang de terre battue. J'avais soif, ma bouteille d'eau était vide et j'allais devoir faire dix kilomètres pour en trouver. Sous mes paupières, une image est apparue : mon frère en train de boire l'eau vive de la source : *La polaire*, son eau glacée… J'avais roulé, retrouvé le chemin et laissé l'auto dans le parking de fougères. La source magique n'était pas loin, je savais où.

C'est fou, la joie que j'avais eue de la trouver, de l'entendre couler avant de la voir… À genoux sur un lit de mousse, j'ai bu, j'ai bu, et alors que je m'aspergeais le visage, la beauté de la journée m'a soudainement sauté aux yeux : tout était fleuri, les oiseaux chantaient, les couleurs brillaient, les parfums exultaient. J'avais jeté de l'eau dans la lumière, éclaboussé mon beau complet à cinq mille douleurs pour le plaisir de voir les gouttes retomber comme des perles de verre.

En prenant le sentier menant au chalet, ce jour-là, j'ai vite compris que la forêt avait été entretenue : les arbres coupés reposaient en cordes de bois bien alignées ; des pierres avaient été enchâssées en escalier dans les pentes. Quand j'ai débouché dans la clairière, la vue m'a frappé de plein fouet, j'ai été projeté vingt-cinq ans en arrière.

Le chalet n'avait pas vieilli d'un jour, l'épinette bleue qu'on avait plantée avec Maman était haute comme un clocher et lui donnait un air de chapelle.

La porte n'était pas verrouillée. À l'intérieur, tout était là, à sa place. Debout au milieu de la pièce, bombardé d'images que je croyais oubliées, j'ai respiré les particules de mémoire en suspension dans l'air.

Je suis ressorti par la porte de côté, devant le pommier qui avait attendu, lui aussi, plus vieux, plus tordu, étalant ses branches jusqu'au sol avec l'élégance torturée d'un bonzaï. D'ailleurs, ça sentait vaguement les pommes brûlées... J'ai vu la fumée avant de le voir, lui. Assis sur une bûche, parfaitement intégré dans le paysage avec sa barbe grise, une calotte sur les yeux et ses habits couleur d'écorce, il fumait la pipe avec le calme solide des hommes costauds. Je m'étais approché, bafouillant un peu :

— Bonjour, heu... Je suis le fils de Tania, je...

— Y en a qui se mettent chic pour venir vadrouiller dans le bois !

Il avait ri, et poursuivi : « Je sais qui vous êtes. On peut dire que vous étiez pas pressé de retontir ! » Il s'était levé, avait déposé sa pipe sur la bûche et m'avait tendu sa main qui ressemblait à un vieux gant de baseball :

— Moi, c'est Selfrid. Selfrid Desjardins.

— Maxime Rivière.

Il n'avait pas secoué ma main, il l'avait juste tenue. Il était aussi grand que moi. Il avait dit d'une voix grave :

— C'est Étania qui m'a donné la permission de rester icitte...

— Vous avez bien connu ma mère ?

— Étania ? C'était quasiment ma cousine !

En disant ça, il avait haussé les sourcils et j'avais vu ses yeux, très bleus, mais ses sourcils étaient retombés aussitôt :

— Je tiens à le dire, j'peux m'en aller dret demain matin.

— Mais je ne veux pas vous chasser ! Le chalet est...

— J'vis pas dans le chalet, j'reste dans ma shed, à l'autre bout là-bas. J'm'occupe du chalet pour pas qu'y tombe à terre, j'm'occupe de la forêt, pis j'm'occupe de mes affaires.

— …

— Comment va votre frère ?

— Nicolas ? Bien, il va très bien. Vous… vous êtes là depuis longtemps ?

— Ça va faire vingt ans cette année.

Il était là depuis la mort de Maman.

— Vous savez, j'ai hérité de la colline, quand mon père…

— Je l'sais. Je l'ai bien connu, le Georges… Sans offense : y a toujours eu la mèche courte, j'ai gaspillé pas mal de salive pour qu'y arrête ses fâcheries.

— Comme vous dites.

— Mais j'devrais me taire. C'est pas en noircissant les autres qu'on se blanchit.

Je le trouvais de plus en plus sympathique.

Un chien est arrivé au galop, un grand chien noir avec un col de fourrure blanc. Il a léché la main que je lui tendais, agité sa queue panachée, et après un bâillement sonore, s'est couché à côté de moi. Desjardins a eu l'air surpris. « Simonac, Maxime, qu'est-ce que tu y as faite, à mon Roc ? » Le *vous* était parti se promener ailleurs. Selfrid s'était agenouillé, sa grande main vagabondant dans la fourrure brillante du chien : « Han, mon sacripant ? Tu fais des façons à la visite, asteure ? » Il s'était relevé souplement, et j'avais pensé qu'il n'était peut-être pas aussi vieux qu'il en avait l'air.

— J'aimerais bien revoir le lac.

— Attends, j'ai une paire de bottes, dret icitte, qui vont te faire parfaitement.

On marchait lentement, il lançait une phrase de temps en temps : « C'est quand j'suis allé voir ta mère à l'hôpital qu'a m'a dit de m'installer. Tu dois t'en douter comment c'était précieux pour elle, sa colline… » On est passés par un escalier de pierre, un truc superbe, en courbe, le long d'une talle d'érables. « Y a de la belle roche dans le coin », avait dit Selfrid de sa voix grave. Il semblait vivre de contrats d'aménagement paysager, d'un peu de menuiserie : « Je travaille surtout pour moi, j'aime mieux ça. La nature est généreuse, quand tu sais te débrouiller dans le bois, tu manques jamais de rien. »

Il parlait une langue dont je m'étais ennuyé sans le savoir, et ses paroles avaient sur moi l'effet de l'eau sur un moteur en surchauffe. Dans la vapeur qui en résultait, un paquet de pensées volatiles et disparates se réveillaient et s'emboîtaient les unes dans les autres. À la jonction de trois sentiers, il a dit : « Bon, j'te laisse avec lui. »

Dans la lumière oblique de la fin de l'après-midi, le lac était plus petit, mais plus beau que dans mon souvenir ; il était si *réel*… Sans voix devant un tel trésor, je me suis assis pour l'admirer, et dans le reflet du silence, je me suis *vu*. Je riais doucement, j'avais les larmes aux yeux… J'y repense souvent, à ce que j'ai ressenti à ce moment-là : quand j'ai compris que je pouvais prendre une pause de moi. Oui, je pouvais m'occuper d'un avenir nouveau, moins pressé que l'autre. C'était diffus, impensable et dangereusement radieux.

Soudain, j'avais eu une faim de loup et, suivant la logique magique qui s'était installée, Selfrid est réapparu : « Prendre une bouchée dans ma shed, ça te tente-tu ? »

Le vieux hangar, qui menaçait de tomber à l'époque, était devenu un petit chalet bien droit encerclé d'un patio de roches plates. Dans un bosquet de cèdres, Selfrid m'a montré sa pompe en l'actionnant avec le bras. L'eau qui en est sortie était limpide. Il a pris une voix solennelle pour déclarer: « Quand t'as de l'eau claire pour ta soif: t'as toute », et pour une raison obscure j'ai éclaté d'un grand rire, et lui aussi. On se tapait les cuisses, on en avait les larmes aux yeux. On ne savait pas pourquoi, c'était pas grave. Quand toute ton amertume accumulée vole en miettes, ça saisit, mais ça fait du bien en maudit.

L'intérieur de sa maison faisait dans le rustique minimal: un poêle à combustion lente, une table, deux chaises, une petite bibliothèque, un fauteuil de cuir, un poste radio, une commode et, au fond, un lit de bois entouré de rideaux: un lit de princesse, mais brun. Il a suivi mes yeux: « Ici, on dort de bonne heure... », et c'était comme s'il avait dit: Ici, on dort *de bonheur.* Il a sorti des denrées d'une armoire: « Je m'éclaire à chandelle, pis à l'huile, mes légumes sont dans un caveau sous la terre... Pas besoin de grand-chose, quand tu y penses. » Il avait mis une potée brune dans un chaudron sur un petit réchaud de camping, coupé de larges tranches de pain de ménage, et sorti du beurre frais.

C'était des fèves au lard à la perdrix, je n'avais rien mangé d'aussi bon depuis des mois. Il a fait du thé: « C'est du thé des bois, y en a plein sur le flanc sud... » Il m'avait regardé à travers la vapeur chaude qui montait de sa tasse: « J'ai une amie qui me rend visite, à toutes les saisons, a s'est fait un jardin d'herbes sur le flanc sud, elle peut te cuisiner tout ce que tu peux cueillir dans une forêt, les fleurs, les feuilles, les champignons... A connaît toute. »

Je m'étais levé pour regarder une photo accrochée au mur, la traditionnelle: tout le monde tassé sur les marches du perron. Selfrid m'avait rejoint pour m'indiquer une petite fille souriante, l'air malcommode en salopette avec une chemise à carreaux boutonnée jusqu'au cou. « La reconnais-tu, celle-là ? C'est ta mère, mon gars : Étania Lévesque. »

Il était reparti se verser du thé, et j'étais resté là, les yeux aimantés à la petite face souriante. Alors que tout le monde était plus ou moins figé, elle riait, et ses doigts faisaient le V de la victoire.

J'étais allé marcher dans l'après-midi sans fin. L'air sentait la résine, on aurait dit que mes poumons avaient pris de l'expansion.

Le soir est tombé, Selfrid a fait un petit feu dans le rond de pierres de la clairière, par-dessus les cendres des feux de ma jeunesse. On s'était assis dans des chaises de branches tressées que Selfrid avait fabriquées et dont il était manifestement très fier : « Y a même du monde de la grand ville qui m'en achète, de mes chaises ! » Il était reparti vers le chalet pour revenir avec les deux peaux d'ours ; on s'est installés le cul au chaud, dans un silence confortable. J'avais regardé le feu, les escarbilles rouges qui rebondissaient dans l'obscurité, jusqu'à ce qu'il ne soit plus qu'un tas de braises, et relevant la tête, j'avais reçu le choc en plein thorax : les étoiles !

Je les avais oubliées. Débordant du ciel, dans l'espace et le temps, elles tombaient sur moi en pluie exponentielle comme une caresse vieille de millions d'années.

Ce soir-là, dans le chalet de mon enfance, la tête vidée de mes pensées opaques, je m'étais endormi de bonheur.

Le lendemain, ma décision était prise.

J'avais trouvé Selfrid en train de monter une corde de bois au bout d'un sentier. On s'était serré la main.

— Je reviens dans une ou deux semaines. Hé, dis-moi : qu'est-ce qui manque, ici ?

— Ici ? Rien. Y manque rien.

## Archives

Une abeille folle de panique se cogne le nez contre la vitre. Je l'encapsule dans un verre, referme le piège d'une feuille de papier et la libère dans l'air véritable.

Il fait chaud encore aujourd'hui, l'automne s'est déguisé en été. Troubadour est sur le toit, il joue avec le vent et les feuilles qui virevoltent dedans.

Je suis devenue vigilante : j'ai changé les batteries de l'alarme d'incendie, vérifié la date de l'extincteur et l'ai accroché au mur – au lieu de trouver ça trop voyant et de le cacher dans l'armoire –, et en faisant le tour de l'immeuble pour localiser les accès d'urgence, j'ai découvert une cage d'escalier large et lumineuse avec trois paliers couverts de plantes donnant sur l'entrée d'en avant. C'est beau, maintenant je passe toujours par là.

Aujourd'hui, presque arrivée en bas, j'aperçois une dame très élégante près des casiers, en train de prendre son courrier. Elle porte des bottes de cuir à talons plats, un manteau noir cintré et un cabas de cuir rouge accroché à l'épaule. Quand elle se redresse, la cascade de ses cheveux argentés se répand dans son dos, le soleil tombe dessus, et ils brillent comme des fils de métal précieux. Je la regarde, figée dans l'escalier, tiraillée entre l'envie de dire bonjour et la peur de la faire sursauter. Ses traits sont très purs, ses sourcils noirs bien dessinés. Elle ouvre une enveloppe couverte de timbres, déplie une lettre. Je la laisse lire. Quand elle replie le papier, je tousse un peu ; elle lève de grands yeux gris vers moi : « Joëlle, est-ce vous ? » Quelle chance, c'est moi.

— Adelia, je suis si heureuse de vous rencontrer.

— L'appartement vous plaît ? Vous êtes bien ?

— Oh oui, merci, merci beaucoup ! Si vous saviez comme j'avais besoin d'un lieu comme celui-là ! Je ne sais comment vous remercier… En fait, je pourrais commencer par vous payer le loyer ?

— Rien ne presse, Joëlle.

Sa voix est d'une telle douceur. Quel âge peut-elle avoir ? Sa peau est blanche, sans taches, quand elle sourit, un éventail de fines lignes se déploie autour de ses yeux. Elle dit :

— Je préfère l'argent comptant, vous n'avez qu'à passer me voir, je suis au studio 405, je vous donnerai un reçu, bien entendu.

— Sans problème. Vous savez, Adelia, vous pouvez me tutoyer.

— Si vous permettez, je trouve que le *vous* te va à merveille.

On rit.

C'est décidé, quand je serai vieille, je ferai comme elle : garder mes rides, mes cheveux longs, m'habiller stylé. Depuis la fin de l'enfance, c'est bien la première fois que j'ai *hâte* de vieillir !

Avec Furi, je pars pour le haut de la ville, grimpe la côte de la Pente-Douce – qui n'est pas si douce que ça, et demande pas mal de souffle et de cuisses –, mais arrivée en haut, on a droit au bonus : une vue imprenable sur la mosaïque des toits piquée de clochers, sur la ville qui s'étend jusqu'à l'horizon des montagnes bleues. Ça fait du bien de voir loin…

Le paysage appartient à celui qui le regarde.

J'entends le bruit d'une cour d'école et étrangement, le son vient du ciel… Ah : un vol d'outardes, en

V parfait ! Elles volent si bas que je peux voir les taches brunes sur leurs ventres dodus.

Je zigzague dans Montcalm : le quartier des grands arbres. Au coin d'une rue, je découvre une Caisse populaire à l'architecture spiralée comme une meringue à la douille, on dirait le musée Guggenheim de New York, au cinquième du format… Il m'apparaît de bon augure d'y ouvrir un compte. Une petite obligation d'effort qui me fera voir loin souvent ! La caissière a les lèvres du même rouge sang que ses ongles. Je désire transférer ma fortune ici et retirer deux mois de loyer. Elle vérifie mon compte, dépose une pile de billets dans un appareil à flipper l'argent et appuie sur le bouton. Ça fait le bruit d'une volée de pigeons qui s'envolent, par paquets de cent.

C'est aujourd'hui que je vais voir Colombe ! J'y pense dans la descente bien méritée.

J'aime tant l'automne, sa lumière éclatante. Quand je passe sous lui, un arbre jaune citron en profite pour larguer une brassée de feuilles tourbillonnantes. Je traverse cette pluie d'or en me sentant magique.

J'ai pris une douche avant de partir, mais j'ai marché trop vite et je suis en nage. Du calme, du calme, je suis loin d'être en retard… Au cœur de la ville fortifiée sur un tableau accolé aux vieilles pierres : l'affiche du concert, une feuille vert pomme où les fleurs dansent avec les notes.

J'avance au centre d'un vaste corridor bordé de fenêtres. Ça sent la cire d'abeille et les vieux livres. Devant moi, deux minuscules fillettes portant chemisette blanche et jupe à plis avancent à petits pas en se tenant par la main, la tête tournée l'une vers l'autre pour se sourire. Je suis émue, je marche lentement pour ne pas les dépasser. Les planchers brillent, briqués de la veille, le seuil de chaque porte est poli, creusé, usé par les pas de milliers de jeunes filles.

Les petites entrent dans l'auditorium et courent rejoindre leurs copines au pied de la scène dans un tas de coussins. Quelques adultes sont arrivés, qui regardent leur téléphone. Sur la scène trône le piano à queue – je choisis un siège à gauche, dans le quatrième rang de façon à bien voir les mains des pianistes. La salle se remplit peu à peu…

Un grondement sous-marin nous parvient depuis le couloir, les voilà, elles arrivent, les femmes de demain, attention : tenez-vous bien. Comme on ouvre une écluse, un flot de jeunes filles déferle, et l'espace se remplit d'un murmure diffus de joie fébrile. Je cherche à repérer Colombe. Sur le canevas bleu marine de leur uniforme, ce qui saute aux yeux, c'est la variété des teintes de peaux, et la diversité des cheveux : bruns, noirs, blonds, roux, courts, longs, crépus, frisés, raides ; et tous ils brillent… Ah, Colombe ! Je la vois, près des coulisses ! À l'intérieur de ma cage thoracique, une petite boule implose. Comme je l'aime, c'est ahurissant. Comme elle est belle. Ses cheveux châtains rassemblés en chignon lui donnent l'air d'une jeune femme alors qu'elle n'a que douze ans. Elle ne me voit pas, et je ne fais rien pour qu'elle me remarque. Elle est assise, le dos droit, elle sourit. Sa copine de droite se penche pour lui dire quelque chose, et ses yeux se plissent tant elle se retient de rire.

La salle est maintenant pleine à craquer, autour de moi, les gens se reconnaissent et se saluent. Je n'ai pas repéré ma sœur, mais je ne la cherche pas vraiment, je n'arrive pas à décoller mes yeux de ma nièce.

Une religieuse apparaît dans le rayon de soleil qui traverse la scène. Son visage a la texture du papier de soie délicatement froissé, ses yeux sont du même bleu pâle que sa tunique, elle doit avoir autour de cent ans.

Elle lève gracieusement le bras, et toutes les élèves se taisent. Les adultes, eux, continuent de papoter. Il faut attendre que la première concertiste arrive près du piano pour qu'enfin le silence s'installe.

Elle est minuscule, elle se hisse sur le banc, s'assoit, les pieds ballottant loin des pédales, et le premier accord du concert résonne. C'est un petit morceau qui prend son temps, style Bartók à la plage. À la fin, elle retire les mains des touches, et pendant trois secondes, laisse dégoutter ses doigts comme s'ils avaient trempé dans la musique.

Après, une grande fille forte entreprend de scier les cordes de son violoncelle avec l'archet, et ce n'est pas loin d'être apocalyptique. Alors que l'auditoire encaisse le coup, les tympans écorchés – presque saignants – en faisant fonctionner les filtres de bienséance à plein régime, les petites assises sur les coussins se bouchent ostensiblement les oreilles. C'est au tour d'une fillette échevelée de débouler sur scène. Elle fait un clin d'œil à quelqu'un au premier rang, grimpe sur le tabouret et, d'un geste gracieux, fait passer sa tignasse emmêlée sur son dos. Au moment où ses doigts touchent l'instrument, je sens qu'on vient de changer de ligue.

Colombe s'est levée, comme elle a grandi ! Elle traverse la scène, les traits concentrés, et s'assoit au piano. Les mains sur les cuisses, elle regarde un moment le clavier. Mon cœur se laisse aller la tête en bas et se balance sur un trapèze… Dès le premier accord, la musique est là, délicate et naturelle, de la lumière aérienne ; on a envie d'ouvrir les fenêtres pour que le son puisse s'envoler, être libre, se faufiler comme le vent à travers les branches, les feuilles, les cheveux brillants des jeunes filles, et même plus haut, pour faire friser les nuages. Elle joue vraiment, ses bras, son dos, tout son corps participe à la musique. La pièce se termine très doucement, et à la fin, il y a ce petit silence merveilleux, cette respiration de l'auditoire qui savoure la résonance de la dernière note.

Dans le crépitement des applaudissements, je suis émue, j'ai chaud. Colombe salue, balaye la salle de son radar, les yeux vagues. Je me décide et lui envoie la main. Aussitôt qu'elle me voit : le sourire qu'elle a ! Elle sort de scène en continuant de me sourire et m'envoie un baiser soufflé. Ah, tout ça pour moi ? Une boule de joie dense palpite dans ma gorge. Le reste du concert, je le perds un peu dans la brume parce que Colombe, très détendue après sa performance, a basculé dans l'effervescence turbulente : elle me fait toutes sortes de faces, chuchote des confidences à ses copines qui posent sur moi leurs yeux veloutés. L'une après l'autre, elles me gratifient de saluts clandestins : les mains près du corps, avec les doigts qui bougent comme les pales d'un petit ventilateur. L'excitation est palpable, l'instant pétille, ça bouillonne de rire dans ma tête : j'ai douze ans, moi aussi.

J'ai hâte de serrer Colombe dans mes bras, mais il faut encore attendre : il y a une distribution de prix. En recevant le sien – un livre enrubanné –, ma nièce roule des yeux vers moi avec un sourire de travers. Qu'est-ce que ça veut dire ? Le livre est poche ? Le ruban autour du livre est poche ? Peu importe. En cette belle fin d'après-midi du début de l'automne, je suis là, et si heureuse de l'être.

La religieuse centenaire dissout l'assemblée qui se désintègre en chaos organique, je me retourne et ma sœur est devant moi, l'air préoccupé. Je l'avais complètement oubliée.

Ses cheveux sont humides et elle a mis beaucoup de parfum. Elle embrasse l'air de chaque côté de ma tête et me détaille comme si elle s'apprêtait à m'acheter : « Tu as fait repousser tes cheveux, c'est bien. » Colombe court vers nous et se jette dans les bras de sa mère : « T'étais là, Maman ? Tu m'as vue ? Tu m'as entendue jouer ? »

Colombe s'est envolée, Sonia et une autre mère sont aux prises avec la logistique d'une fête d'anniversaire et discutent allergies alimentaires. Oh… De l'autre côté de la salle, je reconnais ce profil : Éléonore Martin, collège Jésus-Marie, secondaire II, équipe de gym, salto arrière en sortie de poutre réussie à tous coups. Elle a toujours les mêmes cheveux blonds coiffés dans le style *tempête de plumes*. Depuis un mois que je déambule dans Québec, c'est la première fois que je rencontre quelqu'un que je connais. Elle est en grande conversation avec deux hommes… Je me rappelle, elle et moi, cet hiver-là, il neigeait tout le temps, à certains endroits, les bancs de neige atteignaient les toits…

J'ai douze ans et, après chaque tempête, je vais chercher Éléonore. On fait notre routine d'assouplissement dans son sous-sol, on enfile nos habits de ski, et on sort. Les rues désertes de nos beaux quartiers résidentiels sont à nous, on n'a pas froid aux yeux, on n'a froid nulle part. Sur le toit plat du club de tennis, sous le ciel noir de l'hiver, nos voix encapsulées dans de petits nuages vaporeux :

— Salto avant ?

— *Yes.*

On saute en duo. Téméraires, mais pas kamikazes : on a testé la surface de réception, on a calculé la longueur de chaque foulée menant au pied d'appel, on connaît la technique, on est précises, on est bonnes : « Go. » Trois pas. Un, deux, trois, propulsion ! Contraction ! Ouverture ! Le salto, ou *saut périlleux*, est un mouvement simple et réjouissant, on tourne en boule sur son axe et on se déploie. Il faut le vivre au ralenti, mais le faire vite.

On atterrissait dans la touffeur de la neige molle qui nous avalait jusqu'à mi-corps, fichées comme des chandelles, secouées par le rire.

Colombe vient de s'accrocher à ma taille. Elle prend ma main dans les siennes : « Tu sais, Joëlle, le dessin que tu m'as envoyé par la poste, je l'ai mis dans un cadre, dans ma chambre. Je l'aime. » Et on se sourit comme si on avait suivi un cours dans une école de madones. Ma sœur surgit comme une publicité pop-up :

— Joëlle, j'ai ton coffre, comment on s'arrange ?

— Elle vient manger chez nous, hein, Maman ?

— Non, ma chérie : ce soir, on reçoit les Delacroix.

— Une autre fois, Colombe, je viendrai.

— Es-tu en voiture, Joëlle ?

— Non, pas vraiment, non.

Je n'ai pas d'auto, et Sonia le sait.

— C'est pas grave, Sonia, on n'a qu'à appeler un taxi.

— Rien n'est jamais simple avec toi.

Nous passons le seuil de l'auditorium quand une voix retentissante éclate dans l'espace : « Joëlle Pellerin ? »

Je pivote, comme une statue sur son socle. Tous les autres bruits partent se cacher dans les coins alors qu'Éléonore Martin, les bras grands ouverts, fait de nouveau retentir mon nom. « Joëlle ? » Elle plante là ces messieurs, elle est déjà sur moi, me serre dans ses bras, en laissant échapper de petits bruits gourmands, et je la reconnais, je veux dire : c'est *elle*.

Le lieu, l'éclairage, tout me paraît plus clair. « Joëlle, t'étais où ? Tu te cachais où, pour l'amour ? Hé que c'est l'fun ! C'est trop cool ! » La petite aux cheveux embroussaillés qui a si bien joué tout à l'heure se colle à Éléonore. « Joëlle, je te présente ma fille : Marguerite. Marguerite, c'est Joëlle : mon amie. »

Avant de se quitter, elle m'a demandé mon numéro. Je lui ai donné, à tout hasard, celui qui est écrit dans le combiné du téléphone vert olive.

Le chauffeur de taxi m'a aidée à mettre la malle dans le monte-charge, je l'ai traînée à l'aide d'un petit tapis jusqu'à mon studio. J'ai fait glisser les voiles pour adoucir la lumière, elle est là, au milieu de la pièce. Je ne l'ouvre pas, je fais durer le plaisir.

N'est-ce pas l'occasion d'ouvrir la bouteille de Morgon qui attendait son heure? Je fais chauffer le risotto aux champignons d'hier... Mmm.

Assise au milieu du tapis, encerclée des dessins d'une enfant qui était moi.

Je les ai tous regardés, une vraie thérapie. J'ai adoré celui que j'avais fait en première année: deux mères qui se parlent, et moi, accrochée à la jupe de la mienne, qui tire de toutes mes forces pour qu'on s'en aille. Ha, ha, ha! On range les choses pour mieux les oublier. Je prends mon temps, bois une gorgée de vin, continue la fouille de mes vestiges personnels. Les strates d'époque sont empilées dans le désordre. Je déplie un jean taché de peinture bleu ciel; ah oui: j'avais repeint ma chambre, en secondaire V. J'enlève mes leggings pour l'essayer, il me fait encore. Qu'est-ce qu'il y a ici? Sous un t-shirt de U2... Quoi!? Ils sont là? Bien ficelés, deux paquets de trois: les cahiers rouges de mon adolescence! Je pensais qu'ils avaient été perdus dans un déménagement de ma mère! Je suis dans l'euphorie archéologique intense.

Allongée sur ma couche gallo-romaine aux piliers recouverts de lierre, je lis un truc que j'ai écrit à quinze ans:

*On veut être quelqu'un, on veut être ce qu'on n'est pas.*

*Les bals costumés sont à la mode*
*et le maquillage fait des dégâts.*
*Hier, j'ai vu personne déguisé en quelqu'un.*
*Il serait si beau, habillé en lui-même,*
*il serait quelqu'un.*
*Les bals costumés sont à la mode*
*et le maquillage brûle la peau.*

Comme j'étais grave, et sombre... Je me souviens de cette période, à quel point j'avais peur qu'on me *change.* Je tourne la page, les deux suivantes sont couvertes de cette écriture appliquée que j'avais quand je recopiais ma version finale; le texte s'intitule: *Mes secondes.*

*J'ai à l'intérieur de moi toutes les secondes de mon âge, elles sont entrées l'une après l'autre, sans se bousculer.*
*Il ne m'en manque aucune.*
*Il est curieux que mon corps puisse les contenir toutes, mais la seule que je possède est celle de maintenant.*

*Et voilà, je ne l'ai déjà plus,*
*j'en ai une autre.*
*Elle lui ressemble, mais ce n'est pas la même,*
*elle a cette qualité propre à l'instant,*
*le goût, l'odeur, la couleur du présent.*

*Les secondes aiment avoir l'air fluides et sembler passagères, elles ont le don de se faire discrètes, entrer sans frapper, partir sans avertir, c'est leur truc. Complice, le quotidien met en sourdine l'éclat de leur musique en les habillant d'habitude.*
*Mais moi, je connais des secondes hyperréalistes qui durent des heures, elles sont si denses, je pense déborder. Mon corps devient cette membrane fragile qui s'étire et risque d'exploser à chaque inspiration.*

*Il faut savoir repérer ces secondes charnières, elles sont comme des cailloux lancés à la surface de nos certitudes, elles soufflent des réponses aux questions qu'on n'avait pas encore posées, elles font des ronds dans l'eau, radiantes jusqu'au bout.*
*La vie, c'est peut-être une seconde.*
*La vie, c'est peut-être entre les secondes.*
*Secondes qui m'habitez, je vous aime, je mourrai avec vous.*

Je me sens drôle.

C'est comme si je m'ennuyais de mon ancienne intelligence.

## Sueur d'ouvrage

Un pic-bois me réveille. Ah non : c'est Selfrid qui joue du marteau.

Il est, comme qui dirait, tombé amoureux de la cabane. De l'aube au crépuscule marin, tout le temps grimpé dans le grand chêne à picosser les détails.

Pour être belle, elle est belle. On a profité de la dénivellation et de deux épinettes qui fournissaient des barreaux naturels pour la relier à une passerelle confortable ; le mur ouest est fenestré jusqu'au sol, c'est une cabane avec vue…

« Y faut y trouver un nom, Max. » Il me tanne avec ça depuis une semaine : « *Patience, avec le temps, l'herbe devient du lait.* C'est un proverbe chinois, ça, Selfrid. » Il réplique, pince-sans-rire : « Oh, je vois : *Les nouilles sont pas toutes dans la soupe.* »

J'attends qu'il le trouve, le nom de la cabane, il l'a quasiment bâtie au complet. Selfrid déchiffre les plans à la perfection, c'est comme l'oreille absolue, mais au lieu de reconnaître les sons, il comprend parfaitement les volumes, même ceux d'un arbre.

Je visse la taille de la cafetière et la pose sur le feu. Le mélèze que j'aperçois de la fenêtre de la cuisine est couvert de rosée. En ce moment, ses touffes d'aiguilles ont l'air de plumes bleues… Cinq minutes plus tard, mon café à la main, je le regarde de nouveau : le soleil a sorti ses rayons fougueux, ils se sont faufilés à travers les branches et l'arbre est doré comme un prêtre inca.

Je m'assois sur la pile de madriers qui attendent de devenir une terrasse. Selfrid a travaillé fort sur le sentier qui part du stationnement, il a mis ça au niveau d'une manière presque religieuse, à genoux à terre, il a arraché chaque fouet de bouleau, enlevé tous les cailloux, coupé les racines affleurantes. « C'est pas icitte qu'on va s'enfarger, mon ami ! »

J'ai fini les plans de la passerelle d'accès, elle va monter en pente légère, passer sous l'épinette bleue pour atteindre la terrasse. Un jour, quand Tom viendra, il pourra rouler jusqu'ici, et on prendra une bière en regardant couler le fleuve... Je dois penser au poids de la neige ; je la veux solide comme un quai, cette terrasse.

Selfrid a repris la séquence de ses coups de marteau. Je vais au lac, ma serviette dans le cou. Je me baigne chaque jour, l'eau est de plus en plus froide, mais ça semble agir comme de la colle à synapses.

Alexis et moi, on s'est beaucoup écrit dernièrement. Il est emballé par notre nouveau défi : travailler sur l'accessibilité universelle, le droit des personnes handicapées de pouvoir se déplacer parmi les hommes et faire partie de la vie.

Le projet s'est baptisé tout seul, il s'appelle : *Ça va passer par là.*

On s'est documentés à fond sur le sujet, dans des revues spécialisées, sur le Net... Il n'y a que cinq personnes là-dessus pour le moment et c'est parfait comme ça. Tom est chef d'équipe, bien sûr, et ingénieur-conseil. Tout le monde cherche, le mot clé : *mobilité.* On dessine tout ce qui nous traverse l'esprit ; on pense aux conditions climatiques. On a commencé à faire parler ceux qui vivent ici, en Amérique du Nord. Le nouveau coin salon de la salle de réunion est enfin utile, et Samia est aux anges, elle s'occupe du traiteur, des fleurs fraîches. Femmes, hommes, enfants : elle les met tous à l'aise. Ils arrivent en fauteuil roulant ou avec des lunettes et une canne, et on leur pose des questions. Le soir, je visionne les interviews en rafale.

Hier : cette petite fille maigrichonne, qui avait l'air si timide dans son fauteuil roulant. Au début, on n'aurait jamais cru pouvoir en tirer un mot. Mais Samia sait y faire, elle lui a d'abord parlé d'un nouveau film très populaire chez les enfants, la fillette s'est animée, est devenue très jolie. Après ça, elle en avait des choses à dire ! Elle aimait beaucoup la campagne, les fleurs, les animaux. Elle avait entendu parler d'un certain parc où les oiseaux venaient manger dans votre main : « Ils ont pas peur ? Ils savent qu'on les aime ? » Est-ce que c'était vrai ? Et c'était où ? On l'a tranquillement ramenée sur le sujet : ses principales difficultés de déplacement. Elle a déclaré que les chemins pour fauteuils étaient laites et qu'ils n'allaient jamais où il fallait dans la nature. Son visage était très expressif ; pendant qu'elle racontait, ses doigts fins bougeaient comme ceux d'une Thaïlandaise. Elle s'est un peu fâchée : « Les sentiers pour nous s'arrêtent où ça commence, ils sont toujours *au-dessus* des choses, ou à côté des choses, ils sont jamais *dans* les choses. » Ah, je l'ai adorée, cette petite.

Je grimpe rejoindre Selfrid, qui est harnaché dans le chêne. Il travaille à la finition de la balustrade. Il prend son temps, mon Selfrid, c'est toute sa force. « Hé, son père : la saison de la cueillette de roches est-tu passée ? Apparence qu'il y en a une belle lisse qui t'attend dans la brousse locale ! » C'est qu'elle est toujours là, sa majestueuse, son incomparable. Avec tous les travaux entrepris, il a cru que je l'avais oubliée. Il me regarde, les yeux brillants, avec le sourire d'un gars de dix ans à qui on vient de dire qu'on part pour la mer. Le temps que j'aille enfiler mes bottes à cap d'acier, il a déjà chargé le matériel et accroché la remorque au camion. Il dit d'un air réjoui : « Max, mes chevaux ont le frisson », et ça veut dire : *Dépêche-toi !*

On roule, on vire, on viraille jusque dans le sixième rang. On marche dans un petit champ et à l'orée du bois : la voilà, sa divinité. Une roche.

On applique le principe d'Archimède. Selfrid s'est fabriqué un trépied de métal et manœuvre la barre de fer sans cesser de parler de l'importance de l'appui. Je pourrais lui rappeler que je suis ingénieur, mais il a cette manière épurée d'expliquer les choses : on a l'impression de les découvrir pour la première fois.

On trime solide pour la dégager, sa belle. Enfin la roche se laisse prendre.

— Hé ! Hein, Max ? Une fois lavée, a va être blanche !

— Ravissante.

C'est vrai qu'elle est superbe, transportée par les glaces, lissée par des milliers d'années de pluies.

— Ah, Self, si les pierres pouvaient parler !

— Mais elles parlent, Max, elles parlent ! C'est le monde qui les écoute pas !

On la fait rouler jusqu'à la route sur les rondins de bois dur parfaitement cylindriques qui ne quittent jamais la benne de son camion. Selfrid est heureux, comme pris de verve minérale, il se lance dans un autre de ses récits saugrenus à ricochets improbables. Une petite heure ou deux et on devrait avoir fini. Par ici, le temps, c'est pas de l'argent, c'est des histoires…

La pierre repose maintenant sur notre colline et je ne crois pas que les générations futures produisent un humain qui aura la volonté ou même l'idée de la changer de place.

Le ciel est encore bleu, strié de nuages roses. Self est parti de son bord. Je prends le grand sentier, celui de l'ancienne cabane abattue par mon père ; ce n'est plus qu'une masse informe recouverte de mousse, une talle de vinaigriers pousse dessus... Je m'assois sur un button de mousse, le dos appuyé sur une souche.

Je suis riche d'être ici, c'est ce que je voulais : travailler physiquement, construire, me patenter un repaire où je pourrais penser lentement, respirer. Je ne peux pas l'expliquer, mais dans ma forêt, j'ai plus de respect pour moi-même. Je ne sais pas combien de temps je vais vivre ici, mais comme dit le proverbe amérindien : *Là où sont mes pieds, je suis à ma place.* Dans mon dos, j'entends les fourmis charpentières grignoter le bois mort, un bruit à peine perceptible, un son laborieux, balayé soudain par le froufrou d'hélicoptère d'une perdrix. Elle vient d'atterrir juste là, c'est une jeune de l'année, le bois en est plein.

Je ne bouge pas, je regarde sa petite tête qui avance par à-coups. Je me trouve chanceux chaque fois que je vois un animal sauvage.

Je redescends de mon perchoir avant que le serin me fasse frissonner. Je soupe mollo en regardant le soleil se coucher et, quand le fleuve devient noir, je vais me canter moi aussi.

J'ai programmé l'alarme de mon téléphone, et à deux heures trente une ritournelle céleste me réveille. Ce soir, une pluie d'étoiles venue de Persée va se déverser dans l'Univers. J'ai invité mon vieux à venir regarder ça, mais le sommeil, pour lui, c'est plus sacré que les étoiles. Je m'installe sur la chaise longue, la tête au nord.

Ah ! J'en ai vu une ! Déjà disparue. C'est rapide, la mort d'une étoile filante. Il ne reste que son archée lumineuse, imprimée sur ma rétine, et une espèce de peine d'être seul pour vivre tant de beauté. Ah ! Une autre ! Encore une autre ! Longue et gracieuse... Je revois le sourire de la jeune femme du train... Je fais un vœu : *Réussir à aimer encore.* Cette pensée a déclenché le spectacle : les étoiles fusent en gerbes, on dirait qu'elles sortent de ma tête.

Le vide que Félicia a laissé est grand, je l'ai longtemps perçu comme une grande pièce sombre : le musée de ce qui aurait pu être. Je pourrais aussi le voir comme un espace ouvert rempli de lumière. Peut-être que grâce à elle, je peux aimer mieux, plus grand. Aimer une femme longtemps. Une merveilleuse à moi. Être près d'elle, attentif à sa vie…

Aujourd'hui, j'ai entrepris le ménage de mon bureau : c'était ça, ou je condamnais la pièce. En rangeant la bibliothèque, une photo a glissé de l'album *Tintin au Tibet*; on y voyait mon frère à six ans au bord de la rivière avec sa canne à pêche – une simple branche – les yeux rivés sur l'eau, concentré et confiant. Nicolas : clown, poète, dédramatiseur de première classe… Avec mon téléphone, je prends la photo en photo, pour la lui envoyer. J'allais cliquer sur *send* quand j'ai senti ça coincer, la grosse nostalgie que j'ai de lui. Je suis un peu nono, je n'ai qu'à l'appeler.

— Allo, Nic, c'est moi. Ça va ?

— Maximus Caillus ! Mon Bro ! Hey, mon gars, je m'ennuie de toi.

— Moi aussi.

— Bin, viens-t'en, mon beau crotté ! Québec, c'est pas si loin que ça ! Je t'attends, je bouge pas. Un poulet aux raisins secs, ça te tente-tu ?

Et voilà.

Je prends une douche rapide, passe par le cabanon pour choisir une bouteille. Selfrid est là, penché sur l'établi ; il construit une niche plus confortable pour son vieux Roc.

Quand je lui dis où je vais, il sourit, plisse les yeux, hoche la tête. « Tu y diras qu'on a hâte qu'y ressoude. » Je ne suis pas encore allé très loin avec ma nouvelle bagnole, une Volt de cette année, je ne mets pas de musique, je l'écoute rouler. C'est bon de faire quelque chose de spontané, ça dépoussière.

« Max ! » Les bras grands ouverts de mon frère se referment sur mon dos pour y taper un petit beat réjoui. Il me repousse pour mieux me regarder : « Mon beau Max, toujours aussi laite, mais barbu ! » Il porte un t-shirt qui date de notre adolescence ; il use les choses jusqu'à ce qu'elles se désintègrent sur son dos. Ça fait longtemps que je l'ai vu, ses cheveux lui tombent en bas des épaules. Il suit mon regard : « T'as vu : j'assume mon amérindianité ! Mais entre, mon beau poilu ! » Je lui donne la bouteille : « Hey, Max, c'est écrit : *Ce produit peut contenir des traces de pieds !* Ha, ha ! Merci trop ! On la garde pour le souper, en attendant qu'est-ce que tu dirais d'une bière ? *La bonne, celle qui se boit !* Comme disait notre ami Jacques Bertrand. Installe-toi, je reviens. »

Je déplace un livre et une paire de bongos, m'installe sur le grand divan en fausse peau de zèbre. Une musique flotte dans la pièce : un mélange de jazz et de chants du désert. Le salon de mon frère est une caverne d'Ali Babacool. Mes yeux ne savent plus où se poser. Sur la table basse, un tas de cahiers de musique, de magazines, de fils, une clarinette, une tablette, un téléphone noir à roulette, des flûtes en bambou, en plastique, un bol rempli d'harmonicas. Appuyé sur la bibliothèque qui déborde, une série d'instruments transformés, bidouillés, patentés ; un fauteuil recouvert de la courtepointe multicolore que notre mère avait crochetée. Le piano de notre enfance est là près d'un mur d'affiches de concerts qui retracent la carrière de mon frère : *Ascenseur pour le cadeau, Sweet Belvédère, Bleu Décibel, Taco Truck Feeling…*

Nicolas revient, un verre dans chaque main, il me tend le mien qui est identifié *Kilkenny*, et je reconnais l'odeur et la mousse caramélisée de cette bière, ma préférée ; parce que malgré tout ce désordre, c'est un raffiné, mon frère. On trinque. On parle. Ça coule facilement. Quand je lui dis que j'organise les bâtiments *en caravansérail*, il saute sur ses pieds avec un cri de joie – à cause du mot, sa sonorité, sa signification – et il s'empresse de l'écrire sur un pan de mur déjà couvert de gribouillis.

L'antique téléphone à roulette se met à sonner comme une alarme d'incendie. Nic répond, son sourire s'élargit, il me regarde les yeux ronds, pivote et s'éloigne avec l'appareil.

Je revois la Merveilleuse, qui me parlait du film de Gabin, quand elle a enfin cessé d'être gênée par son œil au beurre noir, à quel point elle était expressive. Elle décrivait les végétaux comme quelqu'un vous parle de ses amis.

Mon frère revient surexcité : « Tu sais pas quoi, Max ? J'ai rencontré une femme, une artiste ! » Et il commence à raconter, debout, les yeux brillants : « Charlotte… elle est trop belle, mon gars, c'est à se jeter par terre, comme une noblesse de visage, une beauté médiévale, tu vois… » Il l'a trouvée, son alter ego. « Une intellectuelle qui aime le plein air ! » Il reprend son souffle en souriant au plancher, puis relève la tête : « Hey, Max, viens que je te montre ça. Moi aussi, je construis des trucs ! » Il m'emmène au fond de l'appartement, dans une pièce capitonnée remplie de matériel d'enregistrement. « Avec le band, on est en train de se monter un de ces petits répertoires pas piqué des vers ! On va raffiner ça tout l'hiver. » Quand on retourne au salon, un prince africain est assis sur le canapé de zèbre en train de lire, son grand corps mince parfaitement relax. En nous voyant, il sourit, et ses dents éclairent son visage comme une série de LED.

Nic raconte une histoire avec sa clarinette, Ibrahim l'accompagne, assis derrière deux tambours, effleurant à peine les peaux dans un jeu d'un naturel absolu.

Ils improvisent, ils savent ce qu'ils font, ils *sentent* ce qu'ils font. Mon frère laisse échapper une série de petits couinements en fin de thème, comme les cris d'un chiot.

Je repense à mes plaidoyers de la semaine dernière pour essayer de convaincre Selfrid : « Tu sais, Self, pendant que ton Roc est encore en forme, on pourrait se trouver un petit chien ? Roc est expérimenté, il va tout montrer au jeune, lui apprendre comment ça marche ici… » La dernière fois que je lui ai parlé de ça, il a passé sa grande main calleuse sur son front avant de la poser à plat sur la table et m'a regardé les yeux mi-clos : « Y a des affaires, Max, ça s'explique pas. »

Je n'ai plus insisté. Il y a des degrés de tristesse que je suis incapable de supporter dans le visage d'autrui. Il est dans le déni. Moi aussi, je l'aime, Roc, son intelligence, ses yeux fidèles. J'imagine mal la colline sans lui, mais le jour où il va partir, j'aurai fait ce qu'il faut pour qu'il y ait de la relève.

Alors, avant-hier, j'ai repéré une annonce sur le web : une portée de *labernois*… Jamais entendu parler. La photo montrait un chien superbe, noir et brun, avec le bout des pattes et le museau blanc. J'ai approfondi mes recherches : *Race de labrador, croisé bouvier bernois.* On expliquait que ce chien hybride avait été développé par la Fondation Mira pour créer une race de chiens guides. Je suis tombé sur deux sites qui disaient : *Les labernois sont des chiens possédant une grande intelligence et une compréhension des besoins de l'être humain dans toute leur complexité.* C'est bon. Pas besoin de psy, on adopte un labernois. J'ai pris rendez-vous avec la dame de Saint-André de Kamouraska.

Le jour convenu, quand elle a déplacé le panneau de bois, une meute de petits chiots trois couleurs s'est répandue en cabrioles autour de moi, il y en avait six, tous différents, tous superbes. Je me suis accroupi pour mieux les voir, les flatter, tenter de discerner leur caractère. Je redécouvrais le bonheur de caresser une petite boule de poil chaude et vivante.

— Je ne pensais pas que ça allait être si dur de choisir.

— Avez-vous remarqué celui-là ?

Elle a pointé du doigt un petit robuste en train d'en mordiller un autre. Il était très expressif avec ses taches rousses au-dessus des yeux comme des sourcils. Je commençais à développer un penchant pour une femelle au poitrail blanc qui cherchait mes mains pour se faire flatter, repartait dans la mêlée, avant de revenir me regarder la tête de côté et refoncer dans mes mains. J'ai craqué pour sa bouille intelligente. La dame a souri et dit de sa voix douce : « À deux, ils seraient plus heureux. »

Elle avait raison. J'ai réservé le joyeux mâle alpha et la petite femelle brillante.

# Brasse-camarade

Assise dans l'alcôve, je dessine. Le vent secoue le paysage, il se croit dans un concours de capacité pulmonaire et veut impressionner les juges. Des nuages gris et moutonneux se foncent dedans, les ormes du boulevard paniquent à grands bras, larguant leurs dernières feuilles qui roulent sur l'asphalte, comme affolées. Pour ajouter au chaos, deux gars s'engueulent sur le trottoir, ils brassent l'air comme des arbitres mal compris, les pans de leurs manteaux s'agitent dans tous les sens, ils crient dans la bourrasque une langue gaélique. Pour savoir tout dessiner, il faut dessiner n'importe quoi – c'est intéressant, vu d'en haut, leurs silhouettes concentriques ; je répète les motifs de façon cinétique pour qu'on comprenne que tout bouge... J'adore mes nouveaux crayons. C'était entendu avec les assureurs qu'une fois installée, je me rééquiperais, et on peut dire que je me suis rééquipée. Ça fait qu'on arrête de chialer, ici : on embraye, pis on dessine. Dans la rue, mes modèles vivants sont hyper coopératifs, ils n'ont pas bougé depuis tantôt. Au coin de la rue, une femme en survêtement rose Kennedy vient d'arriver et les observe les bras ballants. J'hallucine sur la fille, je la trace très vite de peur qu'elle ne disparaisse. Le téléphone sonne et je tombe en bas de l'alcôve.

Je soulève la grosse feuille, je décroche. C'est une espèce d'événement. Mon cœur drible sur les parois de mon cou.

— Allo ?

— Joëlle, salut, c'est Éléonore. Ça va? Est-ce que je te dérange?

— Éléonore! Tu ne me déranges pas du tout.

— J'aimerais ça qu'on soupe ensemble, qu'est-ce que t'en dis? Je connais un resto hyper cool, on va pouvoir se jaser ça!

— Ah… mais t'sais, t'es pas obligée… t'as pas à… Je sais pas, à…

Mais qu'est-ce que c'est que cette voix dégueulasse? Heureusement, Éléonore me coupe: «Joëlle Pellerin, on s'est retrouvées, je peux pas passer à côté de ça! Si tu peux pas, ou tu veux pas venir, dis-le, c'est correct aussi. Mais pense pas que je me force, OK? J'ai hâte de te voir, moi!»

Sa franchise me rentre dedans comme une poignée de pétales de roses: ça surprend, c'est doux, ça sent bon. Je dis: «Oui, d'accord, avec plaisir», et enfin, c'est ma vraie voix.

Elle a proposé que j'aille chez elle vers quatre heures. Elle veut vraiment passer du temps avec moi. Je suis trop émue, je tremble, c'est pas normal, je manque de fioul.

Je pèle une banane et me rassois sur le coussin de l'alcôve.

En bas, dans la bourrasque, les deux gars gesticulent toujours, la femme en rose est plus loin avec une caméra. Ils font un film.

Je me rends compte à quel point, dans ma vie, j'ai magnifié l'amitié. C'était lui, le sentiment indéfectible – réciproque par définition – cohérent et indissoluble. En amitié, vous étiez sur la terre ferme, c'était comme marcher dans un pré fleuri. L'amour, lui, était plus déchirant: complexe et délicat: une balade sur la glace mince avec un pack-sac bourré de roches.

Quand je repense à Montréal, à mes *amis*. Tous, ils savaient. Cette collusion du silence est comme une tache d'huile sur mes souvenirs. J'aimerais ne plus y penser, mais dans des recoins de mon cerveau de petits écrans de cinéma s'animent, et je ne contrôle pas l'horaire des projections. On pense maîtriser les choses. Ça fait mal d'avoir cru à l'amitié complice. C'est une douleur incandescente, une allumette de bois qui s'enflamme au milieu de la poitrine, ça brûle, ça fait mal, et puis ça passe… Oui, ça passe de plus en plus vite. Je ne dois pas avoir peur. La peur fige le mouvement. Moi, j'aime bouger.

Je mets le disque de Mickey 3D, la pièce *Respire*, et je danse dessus. Je saute, je bondis, je m'invente des articulations. Personne n'est une île.

Je vais terminer un dessin, pas celui des cinéastes enthousiastes que j'ai pris pour des crétins en colère, celui que j'ai commencé hier, le dessin de l'incendie : mon feu personnel. Ce n'est pas pour dramatiser, c'est un mémo : je veux me souvenir du brasier dans lequel j'ai failli laisser cramer le reste de ma vie. Je l'ai fait du point de vue d'un oiseau, un moineau sur une branche basse, disons. Le feu brûle de l'autre côté de la rue, des silhouettes humaines filment le feu avec des téléphones brandis comme des flambeaux, ça a quelque chose de religieux. Le seul personnage qui ne filme pas, c'est le *réalisateur*, on ne voit que ses mains qui cadrent une partie de la scène, les pouces collés, en faisant un rectangle ; il montre ça au moineau. J'aime dessiner, j'aime même le bruit velouté du tracé sur le papier.

À trois heures, je prends une douche, me frotte, me sèche et m'enduis d'huile de jojoba en sentant une espèce d'euphorie pousser en moi comme une plante à déploiement rapide. Je fais boire à ma peau l'huile fine, comme si *l'enduit d'huile sur corps* avait un potentiel de discipline olympique. *Allez, peau : bois, et toi, huile : oins-toi !* Sur mon visage, je mets ma crème qui ne sent rien, mon parfum préféré, pour aller avec le vin. Ha, ha !

Avec Éléonore, pas besoin d'armure, je vais laisser ma cotte de mailles à la maison, c'est trop lourd. Moi, je veux être légère, c'est mieux.

Go, go, on s'habille : jean, camisole, cachemire, veste, foulard, bottillons ; c'est simple quand on a peu de vêtements et qu'on les aime tous.

Laisser tomber la peur.

Légère comme une elfe, me voici, me voilà : Elfe Pellerin.

Sortir. Juste vivre.

Éléonore habite en haut, dans Montcalm. Je monte par l'escalier Boisclair, mon préféré, à plusieurs paliers, qui adoucissent la raideur du cap.

Je sonne à la porte d'un deuxième étage, le balcon est en cèdre et déborde de pots de fines herbes. Éléonore m'ouvre en souriant. On s'embrasse et elle sent la bière à plein nez. « Joëlle, tu dis rien ? » Elle me met en garde, de ses yeux pétillants de joueuse de tours.

— Dis-le ce que tu penses. Allez, go !

— Tu t'es parfumée à la Old Milwaukee, c'est ça ?

— Ha, ha ! Joëlle ! Ça, c'est toi !

Elle met de l'air dans ses cheveux qui lui retombent sur le dos.

— On avait une bière, hors de prix, ouverte mais non bue, alors pas de gaspillage : je me suis fait un petit tonique capillaire.

— C'est un parfum qui a une belle *présence scénique*.

— Ha, ha ! T'en fais pas : l'odeur ne dure pas.

Un grand chien de laine frisé arrive d'un pas noble. « C'est Bidule, notre bête aimée. »

Il fait un temps superbe, nous marchons le long d'une rue fleurie, ma belle amie ne sent plus la bière, on rigole déjà, et je me sens *incluse* dans le paysage. Au resto, mon rôti de courge musquée est sublime, et le risotto aux champignons sauvages onctueux à souhait. Parler avec Éléonore me fait l'effet d'une débarbouillette chaude qu'on se passe dans le visage après avoir fait les foins. C'est fou, on peut tout se dire. Est-ce parce qu'on s'est connues dans l'enfance, qu'on s'est *reconnues* dans l'enfance ?

On est sorties les dernières, on est allées s'asseoir dans le petit parc Lockwell. C'était frisquet. Éléonore me regarde avec un drôle de sourire :

— On fume ?

— Du tabac qui fait rire ?

Le joint est déjà roulé.

— Éléonore, je pense que le dernier joint que j'ai fumé, c'était avec toi, en canot-camping ?

— Hiiiiii ! T'es due. Moi, c'est rare, mais l'automne tout le monde veut te faire goûter son pot.

— Ah bon ?

« Viens, on bouge ! » On est reparties par les rues tranquilles, on a marché jusqu'aux Plaines. On avait l'immense parc pour nous toutes seules, on parlait, c'était continu et bon, on disait tout ce qu'on pensait de nous-mêmes et du monde. On parlait fort, on lançait ça dans le vent, les arbres laissaient aller leurs dernières feuilles qui se mélangeaient à nos envolées, avant de retomber au sol où nos pas les fauchaient avec un bruit de papier.

Je suis rentrée chez moi, survoltée, un peu ivre, un peu givre. Mon manteau, mes bottes, tout a volé dans les airs.

Allongée en croix sur le tapis bleu comme on flotte sur un lac, je dis : Tapis, je te baptise *Lac Rond.* Mes pensées, si amples dans la rue, ont joué du coude dans la porte et celles qui ont réussi à passer se bousculent pour avoir mon attention.

Joëlle Pellerin, parlez-nous du début de la vie.
D'accord.

*Il était une fois un petit truc rond. Il ne savait rien de rien, il était. Un jour, n'en pouvant plus d'être seul, il se divisa en deux. Ils restèrent comme ça un bon moment : deux ronds collés, dans un infini en forme de sphère, à l'intérieur du temps circulaire qui passait en boucle. Au début de la vie, il n'y avait strictement rien de carré.*

Où ira mon âme quand j'aurai vidé ma besace de secondes ? Voilà la question que tout le monde se pose. Quand j'étais petite, je savais bien que mon âme était immortelle, mais il y avait le grand questionnement : « Aimerais-tu mieux mourir de chaleur ou de froid ? » Il n'y avait que deux façons de mourir, et ce qu'il importait de savoir, c'était si la mort faisait mal. Maintenant je crois entrevoir la véritable souffrance de la mort : la vie continue sans toi, tu ne verras pas ce qui va arriver ; c'est une douleur de curiosité.

La mort, c'est comme avant de naître, je n'ai pas décidé de naître, qui se souvient d'avoir décidé de naître ? Bon, nous voilà bien avancés, on tourne en rond ici ! Ha, ha, ha !

Tu parles d'un beau joint que j'ai fumé là.

La vie, c'est de n'être pas mort, et tout le reste, c'est de la confiture.

J'ai dormi un peu, sur le tapis. Avant de monter dans mon lit, j'ouvre mon cahier à n'importe quelle page, j'écris croche, les yeux à moitié fermés :

*oser vouloir savoir aimer*

## Meute

Prendre un café sur la terrasse est devenu une joie nécessaire. J'en ai cloué un coup et cet hiver, la neige peut neiger : les solives sont doubles, ma terrasse est bien assise sur le calcaire précambrien. Je n'ai jamais rien construit d'aussi solide.

L'automne est le plus beau temps de l'année avec son air frais et piquant qui fait voir loin. Je fais du suivi de projet avec Alexis en regardant couler le fleuve.

Après un *brainstorm* d'enfer avec Tom et l'équipe de basket, on a engagé une spécialiste en robotique. Plusieurs idées ont germé, on a compris qu'il y avait des personnes à mobilité réduite *lente* et des personnes à mobilité réduite *rapide*; il faut penser aux sportifs, penser surfaces. On a répertorié les obstacles susceptibles de se dresser devant les handicapés en balade au royaume de la voiture ; la liste est longue et elle s'allonge chaque jour. Je pense à des passerelles, légères, amovibles, à déploiement rapide… télescopique ?

Hier, j'ai encore visionné une série d'entrevues. Ce jeune homme, Lucas, dix-sept ans – il a perdu ses jambes en skate la nuit, le conducteur de la voiture n'a pas respecté le corridor cycliste tracé au sol –, sérieux et déterminé, découragé de la lenteur des choses à bouger. « Je peux pas croire que je vais passer ma vie à me sentir tassé de côté ! » Il aime aller aux spectacles des groupes, mais chaque fois, on le met dans le fond de la salle, là où les techniciens s'éclairent pour faire fonctionner les consoles : « J'ai payé mon billet le même prix que les autres, j'ai de la lumière plein la face, c'est pas le même show! » Ses yeux, comme la foudre. Il vide son sac: la signalisation de la ville est dégueulasse. « On devrait tracer des voies réservées avec de la peinture phosphorescente. » La voix d'Alexis, hors-champ: « Quelle excellente idée! » Lucas s'est adouci d'un seul coup:

— Moi, je fais de l'art de rue et j'en prends, de la peinture phosphorescente. Ça fait des graffitis invisibles le jour: c'est respectueux, le dessin s'allume seulement la nuit.

— Tu vois ce que tu fais quand tu peins?

En entendant la question, le jeune a eu un grand sourire.

— Je m'entraîne à la maison, j'ai des pochoirs. Dans les rues, je regarde mon mouvement, je vois la trace humide. J'attends une journée, le temps que la lumière s'accumule, avant de retourner voir mon dessin la nuit.

— Wouaw! Cool!

Lucas a baissé ses yeux qui brillaient trop.

Midi, une grosse serviette dans le cou, je monte au lac. J'entre lentement dedans jusqu'aux épaules, je respire et me submerge la tête. Je suis devenu plus résistant. Passé un certain degré, il faut juste accepter que c'est *au-delà* du froid, que c'est *autre chose.*

En sortant de l'eau, le *boost* est phénoménal, une décontraction de type féérie générale. Debout, nu sur la grosse roche, les pieds sur la ratine épaisse, les veines comme des pistes de course, je n'ai froid nulle part. La lumière intense traverse les feuilles jaune, orange et rouge… J'entends le corbeau arriver, cet oiseau est immense, chaque fois, je suis subjugué de voir ses ailes plier le vent, il passe au bout du lac en lançant son cri de bois sec.

Soudain, je vois une maison de lutin. Je viens ici chaque jour, mais elle vient d'apparaître. Je m'accroupis au pied d'un grand merisier. Flanquée d'une épinette bonzaï et recouverte d'un minilierre grimpant, la maisonnette est une souche avec porte et fenêtres ; les écailles des cocottes que les écureuils viennent débiter ici lui font un toit de tuiles rousses. Le sentier qui y mène est bordé de microscopiques champignons vert piscine aux bouts rouge vif. Qu'est-ce qu'elle avait dit, la Merveilleuse, en parlant de ses micropaysages ?

Avec le pouce et l'index, je retire le rocher qui gêne au milieu du chemin. J'enlève un arbre mort tombé dans le jardin, entre deux vallons de mousse, je dépose un bout d'écorce qui devient un pont de bois… *Et nulle part devient le centre du monde.* Je me remets debout avec le sentiment d'englober l'univers.

C'est aujourd'hui que je vais chercher les chiots. Selfrid est parti chez son cousin. J'arrête à Saint-Jean acheter du pain, un sandwich et le journal. J'en profite pour aller voir le fleuve de près. À contre-jour, trois cormorans font sécher leurs ailes, le manteau grand ouvert.

Ils dorment, roulés en boule au fond d'une boîte de carton, sur la couverture de laine polaire que la dame m'a donnée. « L'odeur de leur mère va les aider pour la transition. » Ils poussent parfois des soupirs endormis.

Ils se sont réveillés dans la montée, leurs petites têtes dépassent, les pattes appuyées sur le rebord de la boîte, ils regardent le paysage. C'est drôle, je les aime déjà.

Quand j'atteins notre stationnement, Roc est là, il attend assis dans le foin. Il ne fait jamais ça. C'est fou, il aura senti.

Senti quoi ?

Que j'allais chercher des membres de sa race quarante kilomètres plus loin ? Il y a des choses que je ne comprends pas.

Je sors de l'auto, prends le précieux paquet. Roc est à mes pieds, impatient, la queue comme un moulin à vent. « Doucement, Roc, ce sont des bébés. » Je dépose la boîte par terre, il se penche pour les sentir, farfouiller dans leur fourrure. Les chiots laissent échapper des jappements aigus, je les sors de là, mais ils s'écrasent au sol, morts de trouille.

Ils sont dans mes bras, je les ai remmaillotés dans la couverture au parfum de mère, je marche vers la maison avec Roc sur les talons. Je leur parle, ils regardent partout, à la fois curieux et apeurés. « Pas facile, la vie, hein ? » Maudit : je suis déjà gaga.

À mi-chemin, Selfrid apparaît : « Bon, qu'est-ce que t'es encore allé acheter comme bébelle ? » Quand il les voit, il vire de bord aussi sec.

« Selfrid, *come on* ! » Roc a jappé la même chose que moi : *Heille, bougonneux, tu peux pas être contre le renouvellement des forces canines de cette colline.*

Assis sur la terrasse, la boîte à bébés chiens à côté de moi, je déguste le coucher du soleil ; il y a un peu de brume, il s'est déguisé en drapeau japonais, et on a le goût de s'en couper un morceau pour le manger.

Chaque fois, cette sensation de privilège qui me fond dessus.

Roc saute sur la terrasse, vient mettre son nez au-dessus des chiots endormis. J'entends des pas derrière moi. Je l'attendais.

« Max, y ont-tu des noms, ces chiens-là ? »

# Pouliche

Troubadour ne joue plus dehors, il fait trop froid, mais j'entends parfois de la musique s'échapper de sa maison et ce n'est pas un disque.

Depuis une semaine, les nuages sont au plus bas, ils courtisent les cheminées qui répondent à leurs avances par des poffes de fumée grise. J'ai un montage à remettre demain et ce temps de cendre est parfait pour travailler. Heureusement, la neige va bientôt nous blanchir le paysage. Je l'attends, je suis parée. Je me suis acheté de bonnes bottes neuves, et Éléonore m'a donné un manteau. Il est blanc, superbe, doublé de plumes.

Je reçois un courriel de Sonia, une espèce de faire-part :

*Bonjour Joëlle,*
*Maman et Edmond ont acquis une nouvelle demeure. Ils recevront à souper le 17 de ce mois, à 18 heures.*
*C'est une occasion unique de nous réunir entre adultes.*
*Nous espérons te compter parmi nous.*
*Bonne journée,*

*Sonia*

Une occasion unique… Toutes les occasions sont uniques ; ma mère change de maison tous les deux ans. J'ai pas le goût : j'ai pas le goût. Je commence à peine à sentir la base d'un semblant d'équilibre – une base, c'est même exagéré, plutôt un socle bancal en cure-dents collés à la colle chaude – avec dessus ma petite sérénité en crinoline qui tourne en essayant d'avoir un joli port de bras.

*Salut Sonia,*
*J'espère que tu vas bien. Merci de l'invitation. Malheureusement, je ne pourrai pas me joindre à vous, j'ai une tonne de boulot et, ce soir-là, j'ai des billets pour la Maison symphonique : une occasion unique que je ne peux manquer.*
*Bonne journée à toi, salut à Colombe, Hugo et Richard.*

*Joëlle xx*

C'est *top class* comme excuse – elle va m'imaginer en tenue de soirée... Non, elle va m'imaginer *clasher* à mort dans le *piano nobile* en survêtement de jogging. Ce mensonge est à moitié vrai : j'ai du boulot, et je vais de ce pas faire résonner un peu de musique classique dans mon cube de vie. Mozart : *Sonate en ré majeur pour deux pianos*, voilà qui va nous éclaircir les nuages ! Je l'aime tellement, c'est un coloriste hors pair.

Je m'attelle au montage d'un fascicule d'ornithologie, la grille graphique est déjà établie, c'est machinal, mais les photos d'oiseaux sont belles, et ça fait gagner la vie. Mon principal client en ce moment est une boulangerie de la rue Saint-Jean : *Nés pour un gros pain*, ça s'appelle. Je suis passée devant au moment où une femme collait dans la vitre l'affichette *Ouverture bientôt* écrite au crayon-feutre avec une fleur autour du point du *i*.

Je suis entrée, j'ai demandé : « Auriez-vous besoin de services graphiques ? » Bingo : enseigne, carte professionnelle, carte des pains : ils avaient besoin de tout. Comme ils commencent, j'ai accepté qu'une partie du cachet soit payé *en nature*. Chaque fois que je sors de là, j'ai les bras chargés de croissants, de pains au quinoa, aux noisettes, aux raisins... J'en donne plein à Éléonore.

Dans mes allées et venues entre la Basse et la Haute-Ville, je passe souvent par la rue Lavigueur, j'aime voir la tour Martello de proche. De ma fenêtre, sa masse noire se découpe, sévère, à contre-jour sur la crête, mais une fois à côté d'elle, on peut apprécier sa rondeur, le détail de ses pierres taillées une à une, assemblées sans électricité ni essence par des bras d'hommes forts. J'imagine des cordes, des poulies, j'entends les cris des hommes forts et le hennissement des chevaux. Chaque fois, accoudée au belvédère, je dis bonjour à ma maison.

Le montage des oiseaux est fini, je le réviserai plus tard. J'ai les yeux qui chauffent, le cerveau endolori, je prends une minidouche, coupe deux fines tranches de concombre et les pose sur mes paupières.

Je monte chez Adelia avec l'argent du loyer dans une enveloppe et un pain aux amandes dans un sac. Elle m'ouvre, vêtue d'une robe d'intérieur de soie bleue au corsage brodé de perles: une apparition. «Joëlle, bonjour! Je viens de faire infuser un thé, ça vous tente?» Je prends conscience que j'ai les yeux trop grands ouverts. Je lui donne le pain. «Ah, comme c'est gentil, mais entrez, entrez, je vous en prie.» Je la suis dans le grand loft, un parfum de jasmin flotte dans l'air, nos pas ne font aucun bruit sur la mosaïque de tapis orientaux. Sur une longue table de bois sont posés des livres et un bouquet de fleurs blanches. Dans le coin salon, derrière un îlot de plantes, elle désigne un fauteuil de velours chatoyant comme une reine céderait son trône à une bergère. «Assoyez-vous, je reviens.»

Les plafonds sont encore plus hauts que dans mon studio, les poutres convergent en angles et en courbes, on a l'impression d'être à l'intérieur d'un bateau. Le mur qui me fait face est recouvert de tableaux et de dessins, des rayonnages de bois roux servent de cloison et sont remplis de livres rangés par collections. C'est fou, où que vos yeux se posent, tout est beau. Accroché près de moi, un collage naïf fait avec des ailes de papillons et, sur un socle, une divinité indienne à tête d'éléphant, finement sculptée dans le bois. « Vous connaissez Ganesh ? Le dieu qui supprime les obstacles. » Adelia dépose un plateau à thé sur une table basse et s'assoit sur un pouf de cuir pour verser le liquide fumant dans de petites tasses en terre cuite. «Je croyais que c'était le dieu des études. » Elle pose la théière. « Oui, c'est aussi le dieu de l'intelligence et le patron des écoles. » Elle pose la tasse dans une soucoupe avant de me la tendre.

— Merci.

— C'est de l'avoine fleurie, elle a des vertus à la fois apaisantes et aphrodisiaques. Paradoxal, pourrait-on dire, peut-être parce qu'on a oublié à quel point la détente peut être stimulante.

Elle se sert à son tour. Nous buvons. « Mmm, Adelia, c'est comme boire le printemps en fleurs. » Son rire est doux, musical. C'est reposant de parler avec elle : sa voix est chaude et réconfortante, on a l'impression de flotter, de s'élever, on se sent devenir *noble.* Elle a cette façon de vous regarder, les yeux centrés sur les vôtres comme si elle ne voyait que ce qu'il y a de bon en vous. Elle est surprise d'apprendre que ma mère habite la banlieue toute proche.

— La voyez-vous de temps en temps ?

— Pas trop, trop… En fait : non. Elle est très occupée, vous savez.

Elle regarde par la fenêtre, revient vers moi pour planter ses yeux dans les miens. « De quoi avons-nous envie ? C'est ce genre de question qu'il faut se poser, non ? Comme tout change sans cesse, et nous avec, la réponse à cette question change elle aussi. »

Je ne dis rien tellement j'aime cette idée.

Elle sourit : « Il faut s'inventer une vie pleine de naissances. » Voilà, c'est ça que je veux dire : elle lance une phrase, et soudain vous aussi vous êtes dans le club. Vous faites partie d'une aristocratie lumineuse.

En partant, je remarque une photo d'Adelia, plus jeune avec de longs cheveux noirs comme de l'encre ; d'une beauté époustouflante.

— Adelia, c'est bien vous ?

— Non, c'est ma fille, Jeanne.

— Comme elle vous ressemble.

— Joëlle, dites-moi, vous aimez lire ?

Elle est revenue avec une boîte de livres et me l'a mise dans les bras : « Merci, merci tellement ! » D'un seul coup, elle a paru fatiguée. Je n'avais pas fait trois pas qu'elle m'a rappelée pour me remettre la clé de l'armoire d'*audiovisible*; c'est comme ça qu'elle a dit.

J'ai testé la clé en arrivant, j'avais remarqué la serrure ronde, ces petites portes sans poignées, découpées dans le mur. Je croyais que c'était un accès à la plomberie, elles s'ouvraient sur une télé, un lecteur CD et une boîte de vieux films, mais le plus magnifique, c'est la manne de livres : Marguerite Duras, Claire Martin, Anne Hébert, Jean Echenoz, Élise Turcotte, Philippe Djian, Irène Némirovsky. Des traductions de Margaret Laurence, Alice Munro, tous les livres de Richard Brautigan ; je suis parée pour l'hiver !

Éléonore m'a aiguillée sur une série de cours qu'on pouvait essayer ; la première leçon est gratuite. Ballet jazz, herboristerie, tango, yoga, poterie… Je me laisse tenter par la sonorité du mot *salsa.* J'ai marché sous mon parapluie. C'est un local pas loin de chez moi avec de grandes fenêtres, de grands miroirs, un beau plancher. C'était bien, j'ai senti mon bassin se délier. Le prof est un Québécois aux yeux bleu cobalt. Quand vous vous trompez, il vous prend par la taille et refait le pas avec vous en vrillant son regard au vôtre comme si le bleu de ses yeux distillait le sens du rythme et pouvait vous le transmettre par osmose. Au moment où j'allais sortir, il m'a dit que le second cours aussi était gratuit.

Aujourd'hui, je lisais quand une plaque de lumière blanche est apparue sur ma cuisse. Quoi, Soleil, tu existes encore ? Vas-y, taillade-moi ça, cette grisaille-là, fais-nous des pieds de vent ! Je m'habille en vitesse. Je sors Furi de son box, il trépigne, il a hâte lui aussi.

J'ai bien fait de ne pas me racheter de téléphone, les journées sont plus longues, plus continues, elles ressemblent à des journées d'enfance. Je suis une pouliche sans bride, lâchée lousse dans un champ sans clôture où le temps pousse comme de la mauvaise herbe.

J'arrête chez Emmaüs et tombe en amour avec une veste brodée d'arabesques et de virtuosités fleuries, enchâssées de minuscules miroirs. Le film s'est enclenché tout de suite : des écheveaux de fils colorés dans un panier, de petites mains de femmes affairées à broder la veste de la princesse qui s'enfuira bientôt dans le désert à dos de cheval pour échapper à son clan rétrograde.

Cinquante dollars. C'est beaucoup. Mais je l'aime.

Déterminée à accomplir cette folie, je me dirige vers la caisse. La jolie femme au comptoir m'annonce avec un accent hispanique chantant qu'aujourd'hui les vêtements sont à moitié prix.

Dehors, je détache Furi et enfile la veste comme si je la portais depuis dix ans. Je glisse ma clé dans la poche intérieure, et qu'est-ce que je trouve ? Un billet de vingt dollars soigneusement plié ! Ha, ha, ha, ha, ha !

Au bout de la rue, ma chance tourne le coin en faisant crisser ses pneus.

De retour à la maison, je parade avec ma veste généreuse devant un miroir inexistant, ce sont les meilleurs : de fille ordinaire, vous vous transformez en femme fabuleuse. J'ouvre la fenêtre pour faire entrer l'air frais et piquant, m'assois dans l'alcôve, remonte le col d'un geste que j'imagine *moyen-oriental.*

Dans le plus grand des ormes, une petite bande d'étourneaux commentent le coucher du soleil en parlant tous en même temps.

D'un même souffle, ils s'envolent, et je me rends compte qu'ils sont plus de cent.

## Le grand plat

Je suis allé porter Kaya chez Selfrid comme on va conduire son enfant à la garderie. Kaya, c'est la mienne. Yako et Roc se tiennent entre gars avec le vieux, un partage qui s'est fait tout seul.

Nicolas m'invite à un vernissage, il veut me présenter sa blonde, alors j'y vais.

Deux, trois trucs dans mon sac, une bouteille de ma réserve. Un dernier coup d'œil à l'horizon avant de partir. Il vente de l'ouest, un immense nuage gris flotte au-dessus du fleuve, aussi large que lui ; son ombre l'accompagne à la surface de l'eau. Ils vont en Gaspésie, pour leur voyage de noces : les confettis tombent déjà sur les sommets de l'autre rive. Ce sera pas long avant que ce soit notre tour d'en recevoir.

J'aime voir les systèmes climatiques de loin.

Quand j'arrive, mon frère est en train d'enfiler ses bottes.

— Max, déshabille-toi pas, on va chez Ibou.

— Chez Ibrahim, ah bon ?

— Yep. Tu vas manger le meilleur riz au poisson de ta vie.

Il cale sa tuque et me sourit comme un ange dans la nuée de petites plumes blanches qui flottent autour de lui.

— Il habite pas loin, dans Saint-Sauveur.

— Hé, qu'est-ce qu'il a ton manteau ?

— Un trou.

On marche dans un quartier sans arbres. Les maisons sont collées les unes aux autres, disparates : petites, grandes, anciennes, modernes, neuves ou sur le point de s'écrouler.

Nicolas m'explique comment manger le riz au poisson :

— Le plat est divisé en parts invisibles, tu prends ta main droite, *seulement* ta main droite. Tu commences au bord du plat, devant toi, tu fais une petite boulette bien serrée, et hop dans la bouche !

— *Dans la bouche* ? J'y aurais jamais pensé ! Nic, t'as oublié de dire de mâcher ! Avaler, aussi, c'est pas mal, et dire : *C'est délicieux, merci.*

— Non, tu te concentres sur la bouffe.

On s'arrête devant une bâtisse récente en briques rouges et grises à trois étages, Nic frappe au rez-de-chaussée, et Ibrahim ouvre la porte.

— As Salam Alaykoum, Nicolas, Maxîme !

— Assalamalécum, Ibou !

— Les frèrrres Rivièrrrre ! Mais entrrrez, entrrrez !

J'aime son accent, les *r* sur roulement à billes, on dirait que j'oublie, d'une fois à l'autre, à quel point il est grand et beau, à quel point son sourire illumine son visage d'ébène. Il me secoue la main, l'autre posée sur mon épaule : « Maxîme ! J'avais ta nostalgie ! » Nous sommes dans un vestibule, on enlève nos bottes, nos manteaux. L'appartement est surchauffé, un parfum remplit l'espace, on dirait l'odeur du pain qui cuit dans un jardin de fleurs sucrées. Quand nous entrons dans la cuisine, plusieurs personnes sont là, comme un concentré de sourires.

Dans le salon, je parle avec le frère aîné d'Ibrahim :

— Nicolas m'a dit que tu vis seul ? Complètement seul, quoi.

— J'ai un voisin, un grand ami, dans une petite maison, sur le flanc de la colline.

— Et c'est tout?

Il me regarde en souriant, les sourcils froncés, déconcerté. Il me rappelle Selfrid, la fois où je lui avais expliqué le fonctionnement du réseau satellitaire.

« Max, viens voir ! » C'est Nic, il est dans une pièce à côté du salon avec le jeune frère d'Ibrahim : Mamadou ; ils sont devant l'ordi. Nic hausse les sourcils à répétition dans ma direction : « Mamadou est arrivé il y a seulement deux mois, il se cherche une blonde sur Internet… » Sur l'écran, on voit une mosaïque de demi-visages féminins.

— Mais elles sont presque toutes voilées !

— Il cherche une musulmane, tu vois.

— Hier nuit, j'ai eu une réponse, mais la fille voulait un homme plus vieux.

Je ne sais pas quel âge il a, Mamadou. Il est long et mince, ses cheveux rasta explosent sur sa tête en tortillons parfaits. Soudain, il se pâme pour une femme.

— Regardez celle-là, comme elle est belle, dé !

— La grosse, là, tu la trouves belle ?

— Ah, moi, une femme maigre, je n'en veux pas ! On me la donnerait que je n'en voudrais pas.

— Attention, Mamadou, les filles ici, on te les donne pas, vieux ! Tu dois les gagner à la sueur de ton front !

— À la sueur de ton cœur.

— Mamadou, t'as pas envie de tenter ta chance avec une Québécoise ? Elles sont réputées pour leur beauté à travers le monde, tu sais.

— Non, mais attend, Max, il faut lui laisser le temps, c'est pas Boucar Diouf, lui.

Mamadou se retourne :

— C'est qui, Boucar Diouf?

— Un philosophe québécois.

Nicolas avait raison, je viens de manger le meilleur riz au poisson de ma vie.

On est rendus au deuxième verre de thé. Le premier était fort et amer, celui-là est doux et mentholé ; c'est tonique et réconfortant. Mamadou me demande l'air inquiet :

— La neige, c'est pour bientôt, tu crois ?

— J'espère bien.

— Ah bon ? Moi, je crains la glace, quoi. Avant de partir de Dakar, je me suis entraîné chaque jour chez un ami qui a le réfrigérateur. Je plaçais mes mains dedans, pour apprendre à endurer le froid, quoi.

Je me retiens pour ne pas rire, parce que lui ne rigole pas.

— Le blanc de la neige, ça rend le jour lumineux, tu verras !

— Ce que je crains, c'est les tempêtes, quoi. Comment vous faites ?

— La neige sert d'isolant, les maisons sont bien chauffées, et puis on s'habille. Il faut que tu te dises une chose, Mamadou : il n'y a pas de mauvais temps, il n'y a que de mauvais vêtements.

— Et le visage ?

C'est l'heure d'aller à la galerie pour rencontrer Charlotte, l'élue du cœur de mon frère. Ibrahim, Nicolas et moi, on s'habille et on sort. Sous le lampadaire, je vois que le manteau de Nic perd de plus en plus ses plumes. Ah non, c'est de la neige.

Il neige enfin.

# Salsa

Avant-hier, Adelia a dit : « Vous connaissez l'adage, Joëlle : *Il faut faire attention à ce qu'on veut, parce qu'on risque de l'avoir.* » Et puis elle a ri.

Elle vous sort ce genre de trucs comme si de rien n'était. Ça a l'air tout simple. Elle pourrait vous expliquer la théorie quantique des champs, ce serait comme une promenade poétique dans les marguerites. J'ai oublié dans quel contexte elle a dit aussi : *Il est bon de savoir mélanger amour et liberté.* Ah, j'ai trouvé ça beau et limpide. Souvent, en sa présence, je comprends la vie, d'un seul coup, c'est clair comme de l'eau de roche. Bon, le lendemain, c'est déjà un peu plus flou, mais il reste au moins le souvenir d'avoir compris.

*Qu'est-ce que je veux faire ? De quoi ai-je le goût ?*

Je me suis posé la question en boucle pendant trois jours, puis j'ai commencé une petite liste pour débroussailler mes envies et encourager mes désirs. Un désir, quand il se voit écrit en haut d'une liste sur la page cartonnée d'un cahier moleskine, ça lui fait un p'tit velours, ça lui donne le goût de se qualifier pour les finales, il se dit : *Hé, je pourrais essayer de me réaliser !* Pour le moment, ma liste est courte :

*Aimer quelqu'un*
*Aimer quelqu'un qui m'aime*

Je trouve ça affligeant : la question demande d'imaginer quelque chose pour soi et la première chose qui me vient à l'esprit implique quelqu'un d'autre. J'ajoute :

*Me sentir entière*
*M'émanciper*

C'est déjà mieux. N'empêche. J'aime trop me réveiller dans la chaleur d'un autre humain, englobée dans sa masse, emberlificotée dans ses membres, un ventre collé dans le dos, un bras autour de ma taille. Juste pour cette sensation-là, je suis prête à… à…

Ah, mais ce qui accroche, c'est que, pour la délectation du sommeil amoureux, il faut *aimer*, ma vieille, et si toi, tu aimes, comment savoir qu'on t'aime en retour, han ? Han ? Comment ?

T'es dans ta vraie vie, dans la forteresse de l'amour : un château inondé de soleil. Tu souris à ta vie, tu souris comme une tarte aux pommes. Un jour, tu te réveilles flambant nue dans un lit mou, entourée d'un décor aux couleurs criardes. Tu clignes des yeux : ce que tu prenais pour le soleil, c'était rien qu'un gros spot sur un trépied, l'acteur blond est en train de se rhabiller, il blague avec l'équipe, et tout le monde rit sauf toi – c'est un nouveau genre de production : le drame comique téléromantique à sens unique.

Aimer pour vrai, ça demande tellement d'abandon. Les renoncements, on ne les voit pas s'installer, et un jour votre vie est toute bien patentée autour d'eux.

Éléonore m'a fait découvrir un paquet de nouveaux trucs énergétiques : maca, spiruline, chaga, matcha, kéfir, herbe de blé, kombucha… Je mange comme une astronaute en orbite. « C'est très vivifiant, tu verras. » C'est vrai. Je pense me louer comme génératrice pour la prochaine crise du verglas. Je pourrais aussi oser voir ma véritable envie : ma grosse envie qui fait la baboune les bras croisés au milieu du lit comme un éléphanteau gâté. Je ne porte quand même pas une petite culotte de métal avec un cadenas dessus. Dans un de mes cahiers rouges, j'ai retrouvé ce que j'avais écrit dans ma chambre, en pleine nuit, rentrée en douce de chez Romain Casavan :

*Le monde est rempli de photos non prises et de caresses oubliées.*
*Regardez bien la vie, vos yeux ont peut-être soif.*
*Voir avec sa peau, goûter des lieux inconnus, lisses et charnus.*
*L'ici et l'ailleurs se mélangent, la peur se transforme en glisse, les sens jubilent, et on découvre qu'ils sont faits pour ça.*

Quand je suis tombée là-dessus, je me suis souvenue de tout. Ma première jouissance. Romain, mon ami sportif. Il ne pensait pas tout savoir, il demandait… Il y avait tellement de gars qui regardaient les vidéos pornos comme des modes d'emploi. Pourquoi nous, les femmes, sentons-nous d'instinct comment faire l'amour ? Je ne sais pas. C'est comme ça.

Le triomphe des sens existait, je l'avais pressenti : par-dessus l'habitude des jours, au-delà de la routine coutumière, se trouvait cet espace en dehors du temps où les corps avaient leur vie propre. Quand je l'ai sentie monter, cette joie-là, jusqu'à l'implosion totale, j'étais contente, je jouissais.

Au-dessus de nos têtes, ses parents jouaient au bridge.

Bon, *de quoi j'ai le goût*? D'une pizza garnie aux vingt fromages ! Évidemment, il me manque presque tous les ingrédients, je n'ai qu'un bout de fromage de chèvre, mais je m'adapte : je remplace la pâte par un pain pita, le pepperoni par de la roquette et la sauce tomate par du vinaigre balsamique caramélisé. Je mange en écrivant un poème qui mijotait dans ma tête pendant que je cuisinais.

*Le corps crie le cœur à ciel ouvert*
*Oser mon fleuve en marées de lune*
*En chair et en vie*
*Couler l'eau douce et l'eau salée*
*L'émoi à la source*
*au milieu du monde*
*Aujourd'hui maintenant*
*Demain et encore*

C'est bidon, ce poème, un bidon rempli de fleurs bleues ; exactement comme moi.

J'ai fait une razzia dans les livres taoïstes de la bibliothèque. Concentrée sur ma respiration, j'apprivoise le pipeline d'énergie qui traverse mon corps en essayant de diriger le courant. Puis je dors. Je rêve…

Je marche dans la vieille ville et j'ai envie de faire l'amour, mes lèvres glissent, chacun de mes pas est un délice. La rue grouille de monde. Haut dans les airs, les cuisses autour d'un poteau, un homme répare les fils électriques. Il est élancé et désinvolte. Il agite la main pour me saluer, il m'a repérée dans la foule : c'est normal, j'irradie de désir.

Il amorce un pas glissé sur le fil d'en bas en se tenant au fil d'en haut et traverse le ciel. Alors qu'autour de moi les gens vont et viennent en accéléré, je reste là, dans mon envie chaude et sucrée. Je sais ce qui va arriver : nous allons aller au Château Frontenac, il me soulèvera comme si je ne pesais rien et me déposera sur un lit de soie. Sa ceinture tombera au sol avec un bruit de métal, notre peau partira à la découverte de nos mains et…

Mais non, rien n'arrive. Même dans le rêve, je rêve : l'homme descendu de son poteau se plante devant moi en se mouchant du revers de la main. Il aimerait ça, m'inviter, mais il a pas fini son chiffre, et sa blonde l'attend.

J'ai pratiqué le taoïsme cette semaine. J'ai le même corps depuis le début, je pensais bien le connaître, mais j'ai fait de nouvelles découvertes : des choses étonnantes. L'horizon est vaste…

J'avais écrit à l'agence graphique Vert Canard : *Je suis illustratrice-graphiste, aimeriez-vous voir mon travail ? Bla, bla, voici l'adresse de mon site.* Je viens d'avoir leur réponse : ils vont m'appeler pour des piges ! Pour me récompenser de mon initiative de développement des affaires, je me suis acheté *Adagio*, de l'ensemble Caprice – hier j'en ai entendu trois minutes, à la radio, et ça me le prenait.

Allongée sur le Lac Rond, j'écoute l'*Agnus Dei* de Barber. C'est prodigieux. Ils jouent sur des instruments anciens. Les premiers sons, dans un camaïeu de verts, de bleus et de gris, s'entrelacent comme on tisse un paysage, et dans un grand souffle les choristes lancent leurs couleurs chaudes par-dessus. Elles montent, montent, chacune dans sa trajectoire, et quand elles se rejoignent, très haut dans le ciel, quand leurs pointes se touchent, l'harmonie parfaite me traverse la peau, et je pleure.

Ça me fait toujours ça. Je ne suis pas triste, c'est la beauté de l'unisson. Plusieurs voix humaines *ensemble* et ça coule, j'en ai plein les oreilles.

Je suis retournée au cours de salsa, le deuxième cours gratuit, j'avais le goût de me délier. À un moment donné, le prof a vissé ses yeux bleu cobalt dans les miens, et dans la chute de mon dos, j'ai senti sa main changer de registre. Après le cours, il s'est arrangé pour sortir en même temps que moi : « Tu vas par là ? Moi aussi. » J'avais bien senti.

La nuit était froide et superbe, la pleine lune se levait immense, mais il n'a pas semblé la remarquer.

— Alors ça veut devenir danseuse et ça vient au cours une fois par deux semaines ?

— Ça ne veut pas devenir danseuse. Ça veut juste danser.

— Hey, je voulais pas te…

— Ce n'est pas grave.

— Je disais juste ça comme ça.

— C'est pas grave.

— Tu danses pas mal.

— Oublie ça. C'est pas important.

On se serait cru dans un film d'Agnès Jaoui.

J'ai levé la tête : « T'as vu la pleine lune ? » Il l'a à peine regardée, a sorti son cell en marmonnant : « Elle n'a pas l'air complètement pleine… » Son air incrédule éclairé par la lueur bleutée du téléphone : « Ah oui : elle est pleine. » Il voulait qu'on aille prendre un verre. J'ai dit que je devais rentrer m'occuper des enfants.

Chez moi, j'ai tiré les rideaux, je me suis déshabillée et j'ai pris une douche.

Dans le coton d'un pyjama frais, je me suis versé un verre de vin, j'ai allumé une chandelle et je l'ai posée au milieu de la pièce. Pour accentuer la mélancolie mauve qui flottait déjà dans l'air, j'ai remis *Adagio*. Quand j'aime, je ne me tanne pas facilement.

J'écoute, je pleure, ça fait du bien. Mon trésor est à l'intérieur de moi.

*Personne n'est une île ?* Je ne sais plus. On est tous des îles, des îlots. On vit en archipel, on dérive les uns vers les autres, on cherche à devenir des continents.

J'ouvre mon cahier, ma liste est là, à même la couverture : une courte liste ; beaucoup trop courte. J'attrape le crayon, j'ajoute à mon premier désir : *que j'aime.*

*Aimer quelqu'un* que j'aime
*Aimer quelqu'un qui m'aime*
*Me sentir entière*
*M'émanciper*
*Aimer d'un amour si profond qu'on peut plonger du haut d'un rocher sans avoir peur de se cogner la tête au fond.*
*Tout prendre de l'amour. Tout donner. Ou rien.*

J'ai plein d'idées nouvelles :

*Réapprendre le désir*
*Refuser l'amertume*
*M'entourer de gens intéressants*
*Comprendre qui je suis*
*Rire de moi*
*Baiser d'amour*
*Mourir sans regret*

Pan ! Pan ! T'es pas morte.

## Botte en touche

La galerie du centre d'art était bondée ; Nic connaissait tout le monde, il a rapidement été happé. J'ai louvoyé entre les gens pour voir les œuvres. Il y avait beaucoup de dessins aux murs : des jeux de lignes, des textures... Ce qui m'a le plus intéressé, c'était cette grande couronne posée au sol, faite d'un assemblage minutieux de tiges de métal, d'anneaux et de petits rectangles rouges. Nic s'est matérialisé à côté de moi : « C'est la patente à Joseph, c'est beau, hein ? Il y a une perf tantôt, attends de la voir bouger, ça rentre au poste ! Hé, je reviens. » Aussitôt sa phrase terminée, il a pivoté sur lui-même et s'est laissé avaler par le magma humain.

Les conversations bourdonnent. Ibrahim, plus grand que tout le monde, émerge des têtes grises, noires, blanches, même bleues. Il y a beaucoup d'enfants, c'est rare, ça change de la guimauve mondaine où trop d'argent se brasse. Je nous revois, Alexis et moi, en smoking de cinq à sept *djet set,* prêts à se péter la gueule avec des inconnus aux sourires carnassiers : *tchin-tchin, foie gras, truite fumée sur canapés décolletés, tchin-tchin again...* Combien d'heures passées dans ces soirées confites au canard plumé ? C'est cher payé de son énergie vitale. On fait si bien semblant qu'on arrive à se croire.

Nicolas fend la foule dans ma direction, une jolie rousse à son bras : grande, mince, en chandail à manches très longues qui lui cachent les mains. Il a une inspiration solennelle avant de se lancer : « Max, je te présente Charlotte : artiste visuelle née sous une bonne étoile nommée *talent*, mannequin à temps partiel et belle à plein temps. » Il fait une pose. « Chérie, voici mon frère Maxime, ancien génie mécanique, recyclé dans le courage des bois. » On s'embrasse. Nic repart nous chercher des bières, et je la vois, la tendresse, dans les yeux de Charlotte qui se posent une seconde sur le dos de mon frère.

On discute. Elle a une expo au printemps, elle en parle bien ; elle a grandi à Vancouver, son accent en français est ravissant. Mon frère revient.

— Santé.

— *Cheers.*

— Ding ! Ding ! Ting !

Les verres de plastique ne tintent pas, mais Nic est là pour nous faire le bruitage. Il se penche à mon oreille avec sa voix de Sherlock Holmes : « Avez-vous remarqué, Watson, comme l'art contemporain attire de belles femmes ? »

Bien sûr que j'ai vu, l'endroit est plein de beautés atypiques, comme on les aime…

Je balaye la place du regard et là je la vois : la Merveilleuse sans son œil au beurre noir. Je me rends compte que je n'ai pas cessé de penser à elle.

Comment j'ai fait pour ne pas la voir avant ? Debout, délicate et forte, dans une savante harmonie de courbes, c'est la personne la plus lumineuse de l'assemblée. Comment qualifier ce genre de beauté sans artifice ? Ses cheveux foncés ont le reflet roux des violons, sa peau est comme éclairée de l'intérieur, et cette façon qu'elle a de poser son corps dans l'espace. Je ne comprends pas qu'il n'y ait pas un mec pendu à son bras.

Maintenant que je l'ai vue, je ne peux plus regarder ailleurs. Elle est devant deux femmes qui discutent, mais la conversation ne l'intéresse pas. Nous sommes les deux seules personnes qui ne parlons pas dans cette salle. Son regard navigue en demi-cercle, s'arrête sur moi. Je lui souris, mais aussitôt elle détourne la tête. Mon frère cherche un titre pour une chanson: « Un mot d'esperanto, ou un mot oublié! » Les yeux de l'ensauvagée dérivent. Elle m'a vu… « Max, parles-tu esperanto? » Quelque chose en moi se mobilise, je marche vers elle qui me regarde sans comprendre, je pourrais la toucher en allongeant le bras quand, enfin, elle me reconnaît: « Ah, mon voisin de train! »

Son sourire. L'éclat de sa présence. Je la désire dans la seconde.

J'ai trouvé: une beauté *respirable.* Joëlle. Elle s'appelle Joëlle Pellerin.

Elle m'a demandé si j'avais construit la cabane dans l'arbre. J'ai dit: « Oui, elle est prête », comme si je l'avais bâtie pour elle. Je lui parle, j'articule des mots qui se suivent et s'emboîtent. C'est une révélation, cette fille, ses yeux sont remarquables: l'iris est d'un vert profond, un vert improbable éclaboussé d'étincelles dorées en dispersion, comme si la pupille cachait un système solaire.

Nic s'en vient droit sur nous avec son jeu de sourcils ostentatoires, le p'tit maudit. Je l'accroche par le bras au passage: « Joëlle, je te présente mon frère. » Elle s'écrie: « Troubadour? » On éclate de rire. Elle rougit, secoue la tête. Elle l'a déjà entendu jouer, quelque chose comme ça; elle rit et lui fait la bise – bise à laquelle je n'ai pas eu droit, en passant. Quand je demande de ses nouvelles, elle paraît timide. Je ne crois pas avoir été souvent en présence d'une femme aux traits aussi bien assortis. Puis elle parle. Elle raconte par ellipses, décrit un truc complexe en trois mots, ses mains participent, elle précise, braque un faisceau de lumière concentrique sur un détail, pour le rendre réjouissant… Ce qui augmente sa beauté, c'est son intensité. D'un seul coup, elle se tait et regarde le sol.

Je dis : « Pas de superflu, je suis entièrement d'accord avec toi : pouvoir marcher pieds nus sur un sol de bois chaud, de la lumière, de la verdure, des bons livres, c'est tout ce que ça prend. » Alors elle sourit : un beau sourire lumineux, et je passe à un cheveu de la prendre dans mes bras. Les gens se déplacent, la performance est sur le point de commencer. Soudain, je déteste cette foule qui m'empêche de la soulever et de la respirer. Joëlle se retourne pour s'assurer que je la suis. T'en fais pas, Merveilleuse, je suis bien accroché. Les lumières se tamisent, nous sommes dans le noir. Si elle se laissait aller vers l'arrière, juste un peu, sa tête se poserait sur mon plexus solaire. J'essaye de l'aimanter.

Le goût que j'ai d'elle est peut-être interdit par la loi.

Deux spots s'allument, une femme est accroupie au milieu de la sculpture métallique et la soulève à l'arraché jeté, en deux mouvements, c'est fascinant, le truc fait deux mètres de diamètre. Elle tient la barre centrale à bout de bras et tourne lentement sur elle-même. C'est trop beau. J'ai posé mes mains sur les épaules de Joëlle, et ses épaules les ont acceptées. Le bout de mes doigts sur les clavicules de Joëlle Pellerin, je me dis que j'ai quand même un peu réussi, dans la vie. Je me penche pour respirer au moins ses cheveux. Elle sent le miel. La danseuse est acrobate, un vrai petit singe, je perds la fin de la performance tant je suis concentré sur ce que me transmettent mes mains. Je sens que je pourrais devenir un fin lecteur de ses épaules.

Catapulté dans la réalité par les applaudissements, j'applaudis moi aussi. Les lumières se rallument, et Joëlle tourne vers moi un visage épanoui. On se sourit. On ne dit rien, il faudrait trouver des mots complexes qui s'imbriqueraient, feraient des motifs, mais ils apparaissent superflus. Je vais la serrer dans mes bras et elle comprendra tout. Une voix grave retentit derrière nous: «Ah! Joëlle, Joëlle!» C'est un grand blond, il accroche Joëlle par le coude: «L'auteure: elle est là, viens, elle veut te voir.» On me l'enlève, ils partent pour l'autre bout du monde, elle tourne la tête pour me sourire, une grande porte se referme derrière elle.

À travers le corridor vitré, j'aperçois Nic et Ibrahim, sur le trottoir avec la horde des fumeurs. Je décroche mon parka et je sors. Il ne neige plus. Nic ouvre son manteau avec l'air du conspirateur amoureux de son crime et me tend une petite flasque. C'est clair, mais ce n'est pas de l'eau.

Un cercle s'est formé, et j'en fais partie, on me passe un splif, je le prends, tire là-dessus, me remplis les poumons jusqu'au bout.

Dire que j'avais réussi à la faire rire dans le train… *Joëlle Pellerin, merveilleuse et toute belle, as-tu déjà dormi dans le bruissement des feuilles? Tu vas aimer la cabane…* Enfin, j'ai retrouvé ma verve, il faudrait que Joëlle apparaisse, là, maintenant, devant moi. Nic m'a resservi de son eau forte, mes idées sont de plus en plus claires, et j'en ai plein, j'en fais des piles dans ma tête. *Je ne suis pas un gars opaque, Joëlle, et tu es lumineuse.* J'ai hâte qu'elle arrive.

Elle va arriver, je suis fin prêt. «Encore une petite shot? *Why not.*»

Le soleil entre à flots dans la chambre d'ami de chez mon frère. Je me réveille en sueur, réussis à me mettre debout. Je reste longtemps sous la douche. J'ai mis beaucoup d'espoir dans cette douche, elle aurait pu dissoudre la barre de fer qui relie mes deux tempes, elle aurait pu me transfigurer, me curer le cerveau de la poisse qui encrasse mes souvenirs. Mais elle m'a juste mouillé et, accessoirement, lavé. Pour dire la vérité –

celle qui écorche, celle qui minabilise l'homme qui a trop bu la veille –, je ne me souviens pas de la fin de la soirée.

Nic est dans sa cuisine, il lit un magazine avec une paire de ciseaux : son scrapbooking de beaux mots. Chevaleresque, il me sourit brièvement et retourne à son ouvrage alors que je traverse la pièce à pas prudents en direction de la cafetière que je dévisse lentement.

Après le deuxième café, je m'assois en face de lui : « J'ai oublié la fin, Nic. »

Il lève les yeux :

— Tu veux la vraie histoire, ou j'en invente une autre ?

— Nic.

— Écoute, c'est pas d'hier que l'homme essaye d'être moderne.

— S'il te plaît.

— Une version allégée, peut-être ? Tu sais, des fois c'est…

— Tabarnak, Nic.

— Tu vas pas aimer ça, Max.

## Le gant solitaire

Hier, dans l'après-midi, installée dans mon lit au-dessus de la jungle, j'ai commencé *Guerre et paix*. C'est trop bon, j'avais décidé de lire un livre sérieux, mais c'est un roman d'amour. Je me suis endormie, et quand je me suis réveillée, il neigeait. Enfin, du blanc ! Des flocons perplexes qui semblaient hésiter entre monter ou descendre en prenant tout leur temps pour faire durer le plaisir.

J'ai travaillé un peu, et le soir est tombé d'un coup : bang !

J'ai pris une douche et me suis concocté un riz Shéhérazade avant d'aller au vernissage. Hier, Boris, le mari d'Éléonore, m'a dit de ne pas manquer ça, que ça allait être bien et qu'il avait quelqu'un à me présenter pour un possible mandat graphique.

Je suis partie à pied. Les flocons plus petits, plus nombreux, s'étaient décidés à descendre, les lampadaires avaient été transformés en douche de cristaux et la neige recouvrait le sol. Enfin une pause dans le détail des choses. Je marchais au milieu de la rue blanche et déserte, et chacun de mes pas imprimait sa trace noire parfaite. J'ai zigzagué pour varier le motif. J'ai toujours aimé la première neige, elle redonne sa lumière au jour, elle embellit les nuits. La première neige, on lui pardonne tout, on oublie qu'elle va s'installer pour des mois ; la première, si on ne l'aime pas, ça y est : on est vieux.

La galerie était pleine de monde, et les murs, pleins d'œuvres : j'ai adoré les dessins très fins, des entrelacs de structures végétales, des mosaïques organiques : un trait libre et sûr, avec beaucoup beaucoup d'air dedans. Superbe. J'ai fait le tour, en buvant un verre de vin. J'avais soif, je l'ai presque calé. Au bout de la galerie, il y avait aussi un truc de métal par terre. En allant me chercher un autre verre de vin, j'ai repéré Éléonore dans un coin, avec une fille aux cheveux bleus. Quand elle m'a sentie près d'elle, Éléonore a mis sa main sur mon épaule et a dit : « Cassandra : Joëlle. Joëlle : Cassandra », et leur conversation s'est poursuivie. J'adore quand elle fait ça, elle m'inclut…

Volubile et exaltée, Cassandra parlait de chromothérapie, du bleu : « La profondeur du bleu, son ouverture, sa capacité à envisager sereinement le futur… » J'ai pensé : *Alors, bleu, ça va ? Pas trop stressé pour la suite ?* Elle le défendait, son bleu :

— Le bleu est la couleur favorite des êtres humains, c'est normal, c'est la couleur du ciel ! Depuis notre naissance, on n'a qu'à lever la tête, et le bleu est là pour nous.

— Pas pour les Chinois, en tout cas, a dit Éléonore, les paupières mi-closes ; et elles ont commencé à parler du jaune.

J'ai pris une gorgée de vin en regardant autour. Un paquet d'enfants soudés serré se tenaient le long du mur et jouaient au téléphone arabe. Le message passait directement dans l'oreille via le tube des petites mains jointes et illuminait chaque visage. Après ils ont couru entre les adultes comme dans une forêt de piliers. J'ai remarqué cet homme, appuyé sur le mur du fond, une bière à la main : un grand gars, avec une barbe ; il me disait quelque chose… Je suis revenue à l'exposé, on en était au rouge : « … couleur de l'amour et du sang. Les femmes décèlent une très large palette de rouges, parce qu'à l'origine de l'humanité, elles avaient la tâche de cueillir les petits fruits et devaient repérer le rouge de loin ! En trop grande quantité, le rouge tape sur les nerfs, mais à petites doses ça énergise ! » Pour nous prouver qu'elle mettait sa théorie en pratique, elle a remué ses ongles carmin devant nos visages avant d'enchaîner sur le vert. Le barbu parlait avec un couple que je voyais de dos. Soudain, ses yeux se sont plantés dans les miens, et il a eu ce sourire incroyable, mais je ne l'ai vu qu'une seconde parce que j'ai tourné la tête. Je ne pouvais pas croire que ce sourire-là était pour moi, ça ressemblait à une technique de séduction. Cassandra poursuivait sa thèse : « Le vert, c'est la nature, le végétal ! » *Heille, je ne m'en serais jamais doutée !* Ma tête n'a pas écouté mon cerveau et a pivoté de nouveau. Il avait quitté le mur, il marchait droit sur moi ! J'ai eu un instant de style panique, il était à un pas de moi quand je l'ai reconnu.

— Mon voisin de train !

— Bonjour, voisine de train.

— Excuse-moi, je ne me souviens pas de ton nom.

— On avait oublié de se présenter : Maxime Rivière.

— Enchantée : Joëlle Pellerin.

On a fait un serrage de mains raté, je lui ai plutôt serré le bras, et comme dans le train, j'ai senti sa peau, sous la laine douce, le muscle de son bras qui a rayonné dans ma main. Il était encore plus beau que dans mon souvenir. Je croyais que ses yeux étaient noirs, mais ils sont bleu marine, c'est à cause des cils longs qu'il a. La barbe m'a empêchée de le reconnaître : une belle barbe taillée, juste assez longue pour être douce… « Alors, cette cabane, elle existe ? » Oui, il l'avait faite. Il m'a parlé de l'arbre qu'il avait choisi pour sa forme et son orientation, comment il avait maximisé la lumière et intégré l'escalier de façon naturelle. En l'écoutant, j'ai reçu une bouffée de son odeur, un mélange de sapin, de ciel et de sel, et je me suis sentie bien. Tout ce qui n'était pas nous est devenu flou. Je regardais bouger ses lèvres pleines, ses dents blanches, la canine en vedette par-dessus les autres était d'un sexy intolérable.

Le cœur me battait des tempes jusqu'aux cuisses, et j'avais les genoux un peu mous. La bulle a éclaté d'un seul coup quand Maxime a accroché un gars qui passait par là. J'ai sursauté : c'était Troubadour.

Troubadour est son frère... Je ne sais pas ce que j'ai dit, ils ont ri. Ils avaient le même rire. Ça faisait drôle de voir Troubadour de près ; il s'appelle Nicolas, il est parti rejoindre une grande rousse. Éléonore avait migré plus loin, avec Boris et d'autres. Maxime m'a touché le coude et la bulle s'est reformée dans la seconde.

— Alors, Québec, ce nouvel appartement ? T'es bien installée ?

— Oui, oui.

Après cette réponse pénétrante, je n'ai plus su quoi dire, j'ai figé. Ça m'arrive encore, ce sont des attaques de rien du tout, avec moi dans le rôle du rien. Mais il y avait ces yeux noir-bleu posés sur moi avec beaucoup de douceur, et j'ai dégelé ; j'ai quasiment fondu de l'autre côté de la force ; du silence, je suis passée au flot ininterrompu de paroles. Tout y est passé : l'appartement chimique, la petite Amazonie, le sol de bois blond, mes lectures, même des *extraits de lectures*... Tout en parlant, je me disais : *tu parles trop, tu parles trop,* mais je continuais. Dans le train aussi, j'avais trop parlé. Qu'est-ce qui m'arrivait, encore ? *Tu t'emballes, il ne va rien comprendre.*

Quand *enfin,* j'ai réussi à me taire, il était toujours là, avec son sourire capotant. Il y a eu un silence pendant lequel j'ai failli m'évanouir, puis il a parlé, il m'avait totalement écoutée ! Lui aussi aime ça, marcher nu-pieds sur un sol de bois doux.

Il a dit : « Tu as tout ce qu'il te faut. » J'ai failli ajouter *sauf un homme.*

J'avais peur d'être phosphorescente, que mon désir puisse se voir. La performance a fait diversion. Les lumières se sont fermées, on s'est massés devant le truc en métal. Maxime était derrière moi, on ne se touchait pas, mais nos champs magnétiques, oui. Mon corps était super attentif. C'était comme si un grand tuyau nous reliait – un canal de ventilation, du genre qu'emprunte Tom Cruise dans la moitié de ses films –, je ne comprenais pas : il m'avait aimantée ou quoi ? Dans le tuyau, ça soufflait comme un vent pris au piège, je n'aurais eu qu'à pencher la tête pour toucher sa poitrine. Deux projecteurs se sont allumés. Une grande femme mince, en collant noir et genouillères, a fendu la foule et s'est accroupie au centre du méli-mélo de métal – son port de tête, son dos, ses muscles allongés, on voyait tout de suite la danseuse qui s'entraîne chaque jour de sa vie. D'un geste magnifique, un parfait mélange d'élan, de grâce et de force, elle a soulevé la tige centrale, et un grand mobile s'est déployé. C'était superbe, je le découvrais : des brins de métal finement reliés entre eux avec de petits rectangles rouges qui semblaient flotter… Comme ça paraissait léger au bout des bras galbés de la femme !

Elle tournait, les facettes suspendues se sont mises à danser en reflétant la lumière ; elle a tourné plus vite, et le mobile est devenu une onde lumineuse. C'était vraiment beau ! *Maxime Rivière, mets tes mains sur mes épaules,* voilà ce que j'ai pensé. Et c'est arrivé. C'était la meilleure chose à faire : partager la beauté, l'augmenter… On peut dire que j'ai été heureuse à ce moment-là parce que j'ai eu la brève sensation de maîtriser quelque chose dans cette vie. Qu'est-ce que le bonheur ? Le bonheur, c'est d'être bien et *de s'en apercevoir.*

Après avoir suspendu le mobile, la danseuse s'est vraiment amusée. Elle roulait, bondissait, agile comme un bébé chat. Elle faisait tournoyer la vague très vite, puis, écrasée au sol, elle se laissait caresser par les facettes rouges. L'ingéniosité et la grâce au service de la beauté. J'ai senti que Maxime me respirait les cheveux, et ça m'est apparu comme un geste parfaitement normal. Quand la lumière blanche est revenue, j'ai applaudi avec les autres et me suis retournée vers lui. Mon désir était si fluide… Puis Boris est arrivé dans l'urgence, m'a prise par la main pour me présenter une auteure : « Un beau contrat créatif pour toi, Joëlle, tu vas voir ! » Derrière mon épaule, Maxime ne m'avait pas lâchée des yeux.

L'écrivaine veut faire un roman graphique avec l'histoire de son enfance dans les années soixante. Boris n'arrêtait pas de me vanter. On a regardé mon site sur un des ordis du bureau, et elle a trouvé ça bien. Elle a commencé à me décrire son projet, à me parler de sa vie… Elle avait une très belle voix et elle en avait beaucoup à dire. Je ne sais pas si tous les écrivains sont comme ça, c'est peut-être parce qu'ils passent beaucoup de temps seul, pour écrire.

Quand je suis sortie du bureau, j'ai fait trois fois le tour de la place. Maxime avait disparu. J'ai senti ma carapace se reformer au plus près de mon corps, ma cotte de mailles faite d'un alliage à mémoire de forme. Éléonore est réapparue avec une femme, une photographe, et on s'est mises à parler de toutes sortes de choses sans jamais se couper la parole, comme si on venait d'inventer l'art de la conversation.

En revenant de la salle de bain par le corridor, j'ai regardé dehors. Il était là, sur le trottoir avec les fumeurs, à côté de Troubadour. Il ne m'a pas vue tout de suite, mais quand il m'a vue il a encore eu son sourire délirant. Il s'est approché de la vitre et a mis la main dessus, juste devant moi. Mes écailles ont volé en éclats, je lui ai rendu son sourire en mettant ma main par-dessus la sienne, alors il a penché la tête et il a vomi.

Il a encore neigé, le jour irradie de lumière bleu pâle, et ma forêt est turquoise. Je dessine le bras fuselé d'une petite fille qui file sur son vélo à siège banane, en écoutant *Clandestino*; j'ai trouvé Manu Chao au fond de la boîte d'*audiovisible*. Des souvenirs colorés de l'été de mes quatorze ans remontent à la surface en louvoyant des hanches. Je n'ai pas oublié quand le Brésil a débarqué à Sainte-Foy, quand, dans les sous-sols des maisons, on découvrait ce déhanchement aux possibilités exponentielles...

L'écrivaine est efficace, trois jours après le vernissage, elle m'a envoyé les premiers chapitres de son roman et un résumé de la suite, pour que je m'*imprègne*. Elle m'a dit de sa voix modulée: «Vous pouvez commencer à compter vos heures, Joëlle.» Selon Boris, je lui avais fait une très forte impression, l'autre soir. Je ne sais pas comment j'ai pu faire ça, ni de quel genre d'impression on parle, mais c'est du beau boulot *para mio*.

Ah, un courriel de mon frère tombe dans ma boîte à mail:

> *Allo, ma petite grande sœur immense, ici ton frère adoré. Ça va ? Toujours aussi tannante ? On est à Saïgon, j'ai accroché ton dessin dans ma chambre, t'es fantastique, l'équipe au complet hurle que t'es géniale. Pour que ton génie rejaillisse sur moi, je l'ai fait imprimer sur un t-shirt, et tout le monde est jaloux.*
> *Je pense à toi : bientôt, t'auras une surprise !*
> *Prends soin de toi, Biche.*
>
> *xxxx Victor*

*Biche*… C'est bon de le voir écrit. Deux personnes sur Terre m'appellent Biche, et l'autre n'est plus là pour le dire. Victor a joint une photo : debout, le torse bombé, avec ses yeux clairs de pilote de Boeing, il étire le bas du t-shirt pour qu'on voie bien le dessin ; il y a un gars à côté de lui qui regarde l'objectif, le pouce levé en l'air. Je ne croyais pas que ce bonhomme à tête fleurie allait avoir autant d'impact, c'est un dessin que j'ai fait sans y penser, parfois ce sont les meilleurs. Aaah, mon frère, si énergique, si drôle… Chacun de ses messages est un nectar d'amour essentiel, issu de distillation royale. Je m'ennuie de lui, je ne pourrai jamais lui avouer à quel point, il s'inquiéterait et c'est la dernière chose que je veux.

Ce soir, je vais me faire une soirée cinéma. Dans la boîte, il y a des documentaires sur la danse et plusieurs films de fiction. J'hésite entre *La leçon de piano* et *La liste de Schindler*, mais je finis par choisir *Witness* de Peter Weir. Pour respecter la tradition, je sors le maïs, l'huile d'olive, et malmène un chaudron au-dessus d'un rond rouge vif : ça éclate dans un bruit de mitraille en quintuplant de volume, le grand bol de bois est plein jusqu'au bord. Je saupoudre là-dessus un peu de sel et de la levure Flora au bon goût de parmesan. Mmm… J'approche le fauteuil, ouvre les portes de l'armoire et glisse le DVD dans la machine. Bon, le disque fige. Je le sors et l'inspecte. Il a besoin d'un traitement de réactualisation des sillons. Je l'enduis de savon à vaisselle biodégradable et le flatte tendrement sous un jet d'eau tiède, puis je l'essuie avec un linge propre. Ça marche ! Même que l'image et le son de cette vieille télé sont d'une qualité surprenante. *Okay, in English please… Play.*

Ça commence en lion, le petit garçon amish, tremblant, plaqué sur le mur du cubicule de la toilette, c'est déchirant... Ce film, plus je le vois, plus je l'aime. Mon père m'avait raconté qu'à sa sortie il était allé le chercher au club vidéo de notre quartier avec moi dans la poussette ; il l'avait regardé en me donnant le biberon. Par la suite, je l'ai revu plusieurs fois. J'adore le contraste entre la ville chaotique et la campagne paisible ; j'aime la beauté de Rachel et de l'enfant, j'aime le personnage tourmenté de John Book. Je crois connaître le scénario par cœur, mais je découvre de nouveaux raffinements chaque fois. La scène du déjeuner en pleine nuit me fait encore rire aux éclats, c'est fou ! Les plans édifiants de l'élévation de la grange, et la musique qui se mélange aux cognements secs des marteaux. Quand Rachel brave tout le monde en servant un verre d'eau à Book en premier, ça me fait fondre : un geste si simple transformé en coup d'éclat ! Le regard intense de Rachel, son désir de se sentir à nouveau femme... Book répare la cabane d'oiseaux qu'il a brisée le premier jour, termine le jouet qu'il fabriquait pour l'enfant. C'est clair : il va partir. C'est leur nuit tant méritée : ils courent l'un vers l'autre et vivent une nuit torride dans le champ. Je me fais prendre chaque fois, toujours émue par l'amour qui mène le monde. Book ne pourrait-il pas changer de vie, tout simplement ? Non. Sa vie est complexe, problématique. D'ailleurs, les problèmes ont rappliqué en auto avec un coffre rempli d'armes. Mais, grâce au courage, à la fraternité et à l'ingéniosité des fermiers, les méchants sont morts, sous les plombs ou sous les grains, et ceux qui restent sont cloués sur place par le regard doux des Amish. Mais l'amour est impossible, la symbolique est formelle : Rachel, sur fond noir encadré de bois gris, tourne la tête vers l'intérieur du poulailler. Dans le plan suivant, un John Book désolé regarde vers la route qui part dans l'infini doré de l'aube. Il quitte Rachel, mais un prétendant est déjà sur le dossier. Fin.

Je ferme la télé.

J'ai mangé tout le pop-corn.

Soudain, je me vois comme si je me regardais du plafond : seule dans mon cube de vie, assise devant un écran noir, le cœur entortillé de broches piquantes et de guenilles molles, vaine comme une plage caillouteuse boudée des baigneurs.

Je m'étais pourtant promis de ne plus penser à lui. Rivière… La facilité avec laquelle je suis retombée dans ma naïveté crasse me rend nauséeuse. J'étais heureuse, mon bonheur bombait le torse comme si c'était lui qui avait patenté tout ça. Je croyais que j'étais maintenant capable de contrôler mes pulsions sentimentalistes, que j'avais eu ma leçon, mais non. J'ai encore pelleté du nuage, une montagne de nuages à l'eau de rose que j'ai escaladée le cœur léger. En moins d'une heure, j'étais au top ! Pourquoi je suis comme ça ? Je m'énerve, je m'énerve tellement, prête à avaler n'importe quelle fable de bûcheron. Je ne le connais même pas. Son beau visage découpé au canif, ses yeux noir-bleu en amandes, et ses cils de fille… Je suis superficielle, finalement.

Mais parfaitement capable de rayer ce barbu de mon esprit.

Je sors marcher. L'air glacial a des propriétés de remise en place des esprits : du noir, vos idées virent au bleu marine. Si je me suis perdue en cours de route, il n'est pas exclu que je me retrouve. Je suis là où je suis. On est toujours quelque part. Sur un balcon, un père Noël obèse prisonnier d'une sphère où il neige à perpétuité me regarde, hilare.

Je marche jusqu'à ce que mes poumons soient calmes. De vrais flocons se mettent à tomber, je fais demi-tour. Près de chez moi, je trouve un gant solitaire en cuir doublé, flambant neuf ; il est relié à une suite de pas bien visibles dans la neige fraîche. Je suis la piste, elle mène chez Troubadour… Je mets le gant dans la boîte à lettres.

Parfois, cesser de penser à quelqu'un est plus compliqué qu'on imagine.

Je rentre dans ma serre à vivre, toujours heureuse de la retrouver. Sonia m'a écrit, ma mère organise un autre souper. C'est un long message avec le détail du menu et des suggestions d'accords mets vins. Plus je lis, moins j'ai le goût. Mais, à la fin, cette phrase : *Tu pourrais te forcer, pour une fois que Maman aurait tous ses enfants réunis…*

C'était donc ça, la surprise dont mon frère parlait : Victor sera là ! Yé !

Je réponds que j'y serai avec plaisir.

Dans un château sombre, quelqu'un a ouvert la porte, le soleil s'y est engouffré en même temps qu'une volée d'oiseaux chanteurs.

# Boréale

Heureusement qu'il y a le travail. *Ça va passer par là* occupe tout mon temps. J'ai écouté chacune des entrevues, et j'ai compris que le pire, quand tu es handicapé, ce n'est pas nécessairement ton état. Le pire, c'est l'impasse : être stoppé dans ton élan. Tu viens de te taper un trajet de l'enfer semé d'embûches et de trous casse-gueule, t'es presque arrivé, et tu te butes à un escalier, un transport inadapté, des travaux routiers. Autour de toi, les autres poursuivent leur route ; rapides, ils contournent les obstacles avec leurs deux yeux, leurs deux jambes, ils grimpent les marches, se faufilent, et hop ! descendent dans le métro. Toi, tu restes là. T'as si souvent demandé de l'aide que t'es tanné de demander. Alors tu vires de bord, tu reprends le chemin chaotique de ta maison avec le sentiment blessant d'être un citoyen de seconde zone.

Comprendre cette frustration-là m'a beaucoup stimulé. J'ai fait une tonne de croquis, j'ai déjà bu deux cafés et pas encore déjeuné. Mon téléphone se met à jouer du tam-tam :

— Allo, Nic !

— Allo, mon beau crotté ! Qu'est-ce que tu fais ? Une courtepointe ?

— Non, je dessine une nouvelle sorte de plate-forme élévatrice.

— Waouh ! Quel genre de nouvelle sorte ?

— Une mobile, télescopique, qui tombe pas en panne.

— Lâche pas, mon Bro, c'est toi le meilleur! Heille, imagine-toi qu'un fou braque m'a donné un char, pis j'ai comme envie de venir le voir.

— Tu sais où j'habite?

— Ha, ha.

— Viens-t'en.

— J'arrive.

J'ai hâte de le voir assis là, devant le feu, hâte de l'entendre me raconter ses péripéties contemporaines abracadabrantes avec bruitage et paroles musicales. Je sors les livres que je veux lui prêter, retourne dans le bureau pour travailler encore un peu. Impossible. Ça se peut-tu, avoir hâte de voir quelqu'un à ce point-là? Mon gars est passé ce matin avec sa souffleuse, le chemin est grand ouvert. Aussi bien aller faire les courses maintenant. Après, on ne bougera plus d'ici.

Le frigo est rempli de bonnes affaires. J'attends mon frère qui n'arrive pas. Ce ne serait pas la première fois. Je m'étends sur le sofa, le téléphone à portée de main, rapatrie toute l'énergie qui me reste pour me préparer à ne pas le voir.

Je suis réveillé par des jappements suivis d'un rythme léger tambouriné sur la porte. «Ah bin, mon beau Max!»

J'ai pas le temps de lui voir la face que ses bras sont autour de moi pour la prise de l'ours, et l'ours m'aime. Quelques coups de patte dans le dos, et l'étau se relâche. Ses yeux brillent, il secoue la tête:

— Max, mon p'tit maudit… Merci! Je sais pas si tu sais, mais cette auto-là est arrivée pile poil au bon moment, attends que je te conte ça!

— J'y compte bien, mon espèce. Donne-moi ton manteau.

— Hé, maille, maille, maille : c'est beau ici ! Beau et spartiate ! Tu t'es fait un palace, mon Maximousse, t'as pas chômé !

— Ça fait combien de temps que t'es venu ? Des fois, j'ai de la misère à croire que c'était toi, le p'tit singe qui était tout le temps dans mes pattes quand on était jeunes.

— On est encore jeunes, grand tarla.

— Bof…

— Hopelaye ! On se la joue *ancêtre*, ici ? Rock star en fin de carrière ? Tiens, justement, je t'ai apporté des CD, pas de la musique : des films. J'ai une petite liste ici, tu dois les regarder dans l'ordre, c'est pour faire ton éducation, pour te mettre à jour, mon cher Max, limer les pics d'ermite qui sont en train de pousser sur ton beau body.

— Merci, Nic. Des films, c'est parfait pour l'hiver.

— Mais Max, c'est à moi de te dire merci pour l'auto ! T'es trop *too much* !

— Nic, arrête. C'est pas si… tu vois, on a plus de parents, je suis ton aîné et…

— Écoute ça, le timing : Charlotte m'appelle, elle pleure : le gars sur qui elle comptait ne donne pas de nouvelles, elle a toute son expo dans une remorque, elle doit aller à Saguenay installer ça, elle devrait déjà être en route, elle sait pas quoi faire. Ça sonne à ma porte ; *OK, Charlotte, juste une minute.* C'est un homme avec une clé dans les mains, *votre voiture vous attend en bas, monsieur Rivière. Signez ici.* Je descends voir, pis c'est vrai ! Je fais le tour : l'auto a une boule ! Je remonte, je dis à ma blonde : tout va bien, je passe te chercher. Même dans un film hollywoodien, le monde dirait : ça va faire, ils exagèrent !

— Considère ça comme un remboursement.

— Mais tu me dois rien !

— Je te dois d'avoir traversé l'enfance avec une vision augmentée de la réalité.

— J'ai fait ça, moi ? Hé, tu parles bien, l'ermite.

— J'ai écouté ton dernier enregistrement, c'est superbe, lucide et sans concession, je sais combien tu travailles fort, je suis vraiment fier de toi, Nic, et Maman aussi aurait été fière de toi.

— Ah, merci, merci trop de me dire ça ! Des paroles dorées qui pétillent comme de la mousse à mon oreille ! D'ailleurs, aurais-tu ça, une p'tite bière ? Et puis il est où, ton vieil escogriffe ?

J'ouvre la porte et j'appelle Kaya.

— Nic, viens voir.

— Il est vraiment beau, ton chien, Max.

— C'est Kaya, elle comprend tout. Regarde : « Kaya, va chez Selfrid ! Va chercher Selfrid ! »

Nicolas éclate de rire : « Pis passe au dépanneur acheter des chips. » Kaya est déjà partie en ligne droite chez le vieux.

— Tu parles d'une fourrure qu'elle a, tu la laisses dehors tout l'hiver ?

— Je vais la faire entrer durant les grands froids, mais les niches sont isolées, et comme tapis je leur ai mis des peaux de mouton.

Nicolas a préparé des pommes de terre farcies au maïs et aux crevettes nordiques, servies avec de l'avocat et des edamames. Selfrid mange avec le sourire.

— C'est les meilleures patates que j'ai mangées de ma vie ! Pis ça, les fèves poilues, redis-moi donc encore le nom ?

— Edamames.

— Ça goûte l'amande.

— Tu trouves ?

— Ça veut dire que c'est bon, Nic.

On est là devant le feu, on finit une deuxième bouteille de vin. Selfrid est en verve :

— Mon oncle Aristide, y aimait sa bière tablette, y trouvait que ça descendait mieux. Dans le temps, y en avait des gars qui buvaient solide ! Tinquer de même, je pense que t'as jamais vu ça dans ta vie.

— Mmm, c'est encore drôle.

— Tu peux imaginer que le propriétaire de l'hôtel, y repérait assez vite les trous pas de fond. Pis qu'est-ce qu'y faisait, tu penses ?

— De l'argent.

— Mieux que ça, y leur faisait crédit. Y les laissait boire comme des barriques, mais y notait toute dans son ti-carnet, pendant des années ! Et là, quand le bill dépassait ce que le soûlon pourrait jamais payer quand bin même y aurait eu deux vies, le propriétaire de l'hôtel récupérait sa terre.

— Outch ! La méthode de la patience féroce.

— Pleumé comme une perdrix, le gars. J'en connais un qui en a perdu deux, de même, deux terres à bois avec des épinettes de cent ans… Y en a qui sont durs de comprenure.

— J'aime ça, tes expressions, Selfrid, est-ce que je pourrais t'appeler des fois pour vérifier mon québécois d'origine ? Est-ce que tu me donnerais ton numéro ?

— Moi, j'ai pas de numéro, j'en ai jamais eu, pis j'en aurai jamais.

— Il refuse.

— Ah bon ? Un sans-filiste pur et dur.

— Si c'est toi qui le dis.

— C'est drôle, Selfrid, des fois, tu ressembles à Keith Richards.

— Keith qui ?

Selfrid est parti se coucher, un peu pompette et tout à fait heureux.

Nic et moi, on met nos raquettes et on sort dans la nuit, prendre l'air sous la lune avant de dormir. Il fait beau, le ciel est bleu nuit, et la neige est bleu ciel.

Quand on s'arrête de marcher, il n'y a plus que le son du vent.

— Max, c'est l'hiver royal, ici !

— Regarde.

Notre sentier croise celui des lièvres, dans la neige fraîche, les empreintes visibles de bonds se croisent partout.

— Moyen beau party qu'ils ont eu là ! Ça me fait penser, Max, j'ai échappé un gant dans la neige, l'autre jour, et une fille a suivi mes pistes pour le déposer dans ma boîte à malle. C'est quand même gentil.

— Comment tu sais que c'est une fille ?

— J'ai entendu la boîte rouillée se refermer et j'ai regardé par la fenêtre, mon cher Watson. Mais attends, tu sais pas la meilleure : c'était la fille que tu m'as présentée à la galerie.

— Joëlle ?

— Ouaip, super belle fille ! Écoute, j'ai couru après, j'ai sorti le grand jeu !

— Quoi ?

— Mais non, grand tarla ! Hé que ça mord vite, ces p'tites truites là !

— Tu sais où elle habite ?

— Non, elle est partie. Il neigeait… désolé, Bro.

Étendu dans mon lit, je pense à la femme que j'aimerais aimer. Qu'est-ce qu'elle fait en ce moment ? Elle a une fête de bureau, elle lit ? Elle dort ? Elle pense à un micropaysage ?

Je l'ai cherchée, elle n'est pas dans les pages jaunes, ni sur Facebook, ni sur Instagram ; elle est nulle part. J'arrive pas à m'enlever de la tête ce début de soirée, quand j'ai touché ses épaules, quand j'ai respiré ses cheveux. D'un seul coup, je me suis senti complet.

J'ai de la place dans ma vie, et elle aussi, ses épaules me l'ont dit.

## Soifs

Hier, j'ai demandé à Adelia si sa fille allait venir pour Noël :

— J'espère avoir la chance de la voir…

— Non… Jeanne ne…

— Elle est trop loin ?

Adelia a mis la main sur son cœur : « Elle est ici, en moi. Elle est décédée, vous savez. » Elle souriait en disant ça, mais ses yeux étaient d'une tristesse abyssale. Les miens ont débordé. « Joëlle, il ne faut pas être triste, il faut être là, vous comprenez… *Vivre.* »

Mon studio, c'était le sien ; Jeanne. Maintenant je comprends mieux ce qu'il y a parfois dans le regard d'Adelia, cette espèce de gouffre de tendresse inutilisée.

Dans l'autobus, coincée entre la fenêtre et une dame en manteau de fourrure, en route vers le souper familial. Nous roulons dans la partie laide de la ville. Le stationnement du centre commercial est plein : des centaines de voitures autour de blocs remplis d'objets, de choses, de bidules fabriqués à l'autre bout de la planète, emballés, empaquetés, plastifiés, code-barrés… Je ne peux pas m'enlever de la tête le sentiment d'un formidable gâchis. Alors, c'est vrai, tout le monde ? On va continuer, continuer, continuer, sans se poser de questions, comme si on ne pouvait rien changer ? Sortir sa carte de plastique, remplir sa maison d'objets, ce serait ça, la vie humaine ? Notre cou est long et le sable est profond. L'humain ne sera pas le premier mammifère à s'éteindre, oh non ; mais nous serons les premiers à nous autoéteindre en le sachant: merci à notre belle conscience.

Je descends ici.

Quelqu'un a tendu une bâche de plomb oxydé sur le ciel, et le soleil est un trou blanc dans la toile. Il n'y a pas de trottoir, mais la rue est large, meublée de grosses maisons presque toutes pareilles: de faux châteaux à tourelles romantiques et à porte de garage double. Les briques beiges et brunes sont agencées comme des pixels à basse résolution et les murs ont l'air flous.

J'ai hâte de voir mon frère, et Colombe, et Hugo, et... J'ai chaud d'un seul coup. J'ai la trouille, aussi bien me l'avouer. Je veux simplement que tout se passe bien. Ma mère et Sonia ne savent pas encore que j'habite Québec, elles pensent probablement que j'ai pris le bus de Montréal, que je crèche dans une commune au centre-ville, quelque chose comme ça... Ma peur est diffuse, vaporeuse; je brasse l'air devant moi pour qu'elle se disperse. Elles ne sont pas curieuses de moi, alors on se calme. Si je mens, c'est par omission, et mon mensonge n'a aucune incidence sur la vie de quiconque.

De petits flocons se sont mis à tomber, j'ai l'impression de ne pas avancer, c'est à cause des maisons clonées, la répétition du motif rend la rue interminable...

Nous y sommes. Même sans l'adresse, j'aurais pu parier, c'est un petit manoir fortifié aux fenêtres encaissées, orné de *trois* sapins illuminés. Avec ma mère, on ne rigole pas avec Noël. Je sonne. Mon cœur qui veut participer se met à cogner sur mes côtes. Sonia m'ouvre, élégante dans une robe noire et des souliers à talons hauts. «Ah, Joëlle. Salut. Tu peux mettre ton manteau ici, on est au salon», et déjà, elle n'est plus là, disparue côté cour. Dans l'entrée, il ne reste que les effluves musqués de son parfum et moi, aux prises avec une espèce d'incohérence cardiaque.

J'enlève mon manteau, l'accroche dans la penderie et m'assois sur un banc en fer forgé pour retirer mes bottes. Devant moi, sur le mur rayé gris et bleu pâle, est suspendue une décoration étrange : dans une couronne de sapin ornée d'un ruban doré, on a planté une épée de plastique… Je m'approche. Ah non, ce n'est pas une épée, c'est un crucifix ultramoderne en plexiglas super pratique qui va au lave-vaisselle !

Le petit chien de ma mère est venu aux nouvelles, renifler mes bottes ; je me penche pour le flatter, mais il part au galop comme un cochon d'Inde à poil long.

La nouvelle maison ressemble étrangement à la précédente, sauf qu'elle est encore plus gigantesque et au lieu que tout soit noir et blanc, tout est pastel. Les cadres de portes sont enguirlandés de rubans dorés et de sapinage de plastique réaliste. Dans le corridor pêche, chacun de mes pas s'enfonce dans le tapis blanc d'une épaisseur qui donne le goût de faire de la gym, mais ce n'est ni le lieu ni l'heure de faire des folies. *Oh no.* Je me dirige à l'oreille vers une voix très connue…

J'ai un choc en voyant ma mère : assise au milieu d'un canapé crème, dans un ensemble grège, les cheveux figés dans une meringue blonde : elle ressemble à une photo jaunie d'elle-même. Elle m'a vue, mais a terminé sa phrase avant de me regarder officiellement : « Ah, ma fille, te voilà ! » On s'embrasse sur les joues, les siennes, douces comme de la soie, ses beaux yeux un peu plus bleus chaque année. Je suis émue, je veux la serrer dans mes bras, mais elle m'arrête, pose les mains sur mes épaules, pour mieux me regarder : « Tu as fait repousser tes cheveux, c'est bien ! » L'inspection se déroule, de haut en bas, jusqu'à mes chaussettes de laine. Elle déclare d'une voix réjouie : « Joëlle, c'est mon garçon manqué, toujours habillée sport ! Elle aura cru être invitée à un brunch ! » et elle a ce rire sec, empesé ; un rire qui ne se partage pas, destiné à m'excuser auprès des autres.

D'ailleurs, qui est là ? Une dame frisottée, qui ressemble à la reine Elizabeth, et Sonia, penchée sur son téléphone. Je me trouvais bien mise avec mon jean fraîchement lavé et mon cachemire émeraude. Depuis le feu, j'attends de tomber amoureuse avant d'acheter quelque chose, et la robe chérie n'est pas apparue. Je souris pour camoufler mon émoi mort-né, étouffé dans l'œuf, écrasé par la poule qui se rassoit en lissant sa jupe. Je salue la dame aux cheveux moussus. Ma mère s'écrie :

— Tu ne la reconnais pas ? C'est Monique, tu étais si amie avec sa fille : Leslie !

— Joëlle a une petite mémoire.

Ça, c'était la contribution de ma sœur, assise près du foyer dans la nébuleuse de son parfum. « Bonjour, Monique, je suis contente de vous revoir. » Je ne sais pas comment j'aurais pu reconnaître la belle Monique Desaulniers dans cette femme aux traits boursouflés. Je lui fais prudemment la bise – elle tient un grand verre de vin rouge, il ne manquerait plus que je provoque un drame sur l'étoffe pâle du fauteuil. Ma mère déclare :

— Je l'ai invitée, ton amie Leslie.

— Génial, j'ai hâte de la voir.

J'aimais bien Leslie, mais elle n'était pas mon *amie*, c'était la fille de l'amie de ma mère. Pendant que nos mères armées de magazines et de gin-tonic se faisaient bronzer en bikini près de la piscine, on n'avait pas le choix d'être ensemble. On a essayé d'être amies, mais ces choses-là ne se commandent pas. Leslie passait la moitié de l'été dans un camp au Vermont, elle aimait surtout parler anglais et jouer à habiller son chien.

Je me tourne vers ma sœur : « Hugo et Colombe sont là ? Au sous-sol, j'imagine ? » Sonia roule des yeux : « Mais on a fait garder les enfants ! » comme si ça allait de soi.

À quoi ça sert d'avoir une si grande maison, merde. « Et Victor, il arrive quand ? » Cette question palpite dans mon plexus solaire depuis mon arrivée, je ne sais pas comment j'ai fait pour ne pas la poser avant. « Victor est à Shanghai », dit ma mère, en prononçant bien le *h* expiré, au profit de Monique.

— Il m'a appelée pour ma fête, que tu as oubliée, en passant.

— Mais on s'est écrit en début de semaine, il était à Saïgon !

— Saïgon, Shanghai, c'est la même chose, enfin ! Arrête de me reprendre.

— Sonia m'a dit que tout le monde serait là, j'ai cru que…

Je regarde du côté de ma sœur, qui est en train d'enlever une poussière imaginaire de sa manche en soupirant comme une comédienne au théâtre pour la rangée du fond.

Je ne dois pas montrer à quel point je suis déçue, je ne dois rien montrer du tout. Tais-toi, Joëlle. Ici, personne ne te connaît vraiment.

Moi, la Chine, le Viêtnam : même combat.

Ma mère a pris sa voix collet monté, zippée jusqu'aux narines. « Au lieu de dire n'importe quoi, tu pourrais penser à saluer Edmond et Richard, ils sont en cuisine, ils mettent la touche finale au bœuf Wellington. » C'est vrai, je les avais oubliés, ces deux-là : le mari de ma mère et le mari de ma sœur : les joyeux lurons.

Ya-ou.

Je retraverse la maison.

Toute mon enfance, j'ai cherché la clé qui me permettrait d'entrer dans le cœur de ma mère. Elle devait bien être quelque part? J'imaginais un passe-partout doré…

Le premier Noël dont je garde le souvenir: on nous réveille en pleine nuit, j'ai mis ma crinoline sous ma jaquette. Mon père est calme et souriant comme d'habitude; ma mère, éclatante dans sa robe rouge, a les yeux brillants. Mon espoir est grand. Nous entrons dans le salon, et c'est l'éblouissement: le scintillement de l'arbre, tous ces cadeaux en papier argenté qui brillent, et Maman qui me sourit en m'ouvrant les bras! Je me précipite, mais elle s'est retournée pour prendre un cadeau, et je me cogne dessus. Je ne la lâche pas des yeux en le déballant, mais elle ne regarde pas, elle distribue d'autres cadeaux. À peine en ouvrez-vous un qu'il y en a un autre. Tout se passe vite, c'est un potlatch, on s'emballe dans le déballage, et autour de l'arbre ce n'est plus que déchirures d'argent.

Et voilà, c'est fini. Le tintement des glaçons dans un verre. Victor sur les genoux de Maman, qui lui caresse les cheveux et qui ne sourit plus. Sonia a déjà compris son jeu et s'exerce. Moi, dans mon coin, accablée de cadeaux, avec ma crinoline qui pique.

Papa apparaît: «Enlève-le, ton jupon, tu vas être mieux. On va jouer aux poches, d'accord?» C'est un jeu que j'ai reçu, il faut lancer une pochette remplie de sable dans une boîte percée de trous. Papa me montre: on la fait sauter dans sa main pour en sentir le poids et la faire s'aplatir, c'est le trou du milieu qui vaut le plus. Je lance. J'ai du visou. «Tu es bonne, Joëlle, tu vas me battre!» Papa et moi, on rit comme des p'tits fous. Tout d'un coup, c'est Noël.

Un jour, ma mère décide qu'elle en a assez de son mari.

— Mais pourquoi, Maman? Pourquoi? Pourquoi?

— Faut-il toujours une raison à tout?

Pas de raison précise, une envie de changement, un goût de nouveauté. Ma mère divorce pour redécorer sa vie. Je ne sais pas comment elle s'y prend, mais elle prend tout.

Papa ne voit rien venir et tombe de haut, mais continue de me sourire: «Ça ne change rien, ma petite chérie, je serai toujours avec vous.» Il quitte la maison pour aller vivre dans un appartement et il meurt subitement d'une crise cardiaque à cinquante-cinq ans.

Un an après, ma mère se remarie avec Edmond. Je le vois pour la première fois au mariage. Physiquement, il ressemble étrangement à Papa quinze ans plus tôt, mais la ressemblance s'arrête là. On va couper un gâteau ridicule dans leur première nouvelle maison, et là je me rends compte de sa principale qualité: il est riche.

Cette piaule est démesurée, je suis toujours en route vers la cuisine. En traversant un boudoir vert pâle décoré d'aquarelles aux formes molles, j'avise une salle de bain. Un peu d'eau froide dans le visage, ça ne me fera pas de tort. Ici, la tapisserie de fleurs bleu poudre est en mode *all over*, même les serviettes sont fleuries bleu poudre, même la frise qui bouche la fenêtre comme un toupet est fleurie bleu poudre. Je ne comprends pas ce genre de beauté. Je dois prendre sur moi, j'ai encore plusieurs heures à passer ici.

Sur le seuil de la grande cuisine couleur caca d'oie au lait, je reste en retrait pour ne rien interrompre. Richard et Edmond sont debout, immobiles, le nez profondément enfoncé dans un verre de rouge. Tous les deux sont habillés dans différents tons de gris et l'atmosphère a quelque chose de religieux; ça doit faire deux ans que je les ai vus. Richard a quarante-cinq ans, mais en paraît dix de plus, il a pris du ventre et perdu beaucoup de cheveux; Edmond teint les siens et il s'entraîne, alors ils ont l'air du même âge… On dirait qu'ils cherchent à aspirer le vin par les narines. Edmond dit :

— Cannelle ?

— Caramel !

— Ah, mais c'est que tu as raison !

Ils relèvent leur nez, se sourient en faisant tourner les gros ballons. J'apparais :

— Bonjour, Edmond ; bonjour, Richard !

— La belle Joëlle ! Comment est-ce qu'elle va ?

Le mari de ma mère pose son verre et me serre dans ses bras, sa poitrine plaquée sur la mienne – un peu trop longtemps, mais enfin –, Richard me fait deux bises à saveur d'après-rasage. Le mari de ma mère me regarde en plissant les yeux : « Prendrais-tu un verre de vin. » C'est une affirmation.

— Pas tout de suite, Edmond, mais j'aimerais bien un petit café.

— *No problem, nice lady !* J'ai justement ici une nouvelle machine qui fait un café savoureux, ça fait même mousser le lait !

— Je le prends noir.

— Noir ? C'est raide, ça !

Il s'est acheté une de ces imprimantes à café qui fonctionne avec des cartouches de couleur. Sous le charme de son nouveau gadget, il s'empresse, sort une tasse, me fait un clin d'œil et ouvre un coffre au trésor. Présentées sur du velours noir, les dosettes ressemblent aux grosses pierres précieuses des contes pour enfants. Je choisis l'émeraude. Oups, la machine a un bogue. Il faut qu'il vide les dosettes usagées – du genre qu'on sait pas quoi faire avec après. Un jour, les bateaux flotteront sur des dosettes usagées de café délicieux, les surfeurs en ont déjà plein les vagues.

De son côté, Richard a retiré un grand chaudron du four et en vérifie le contenu, l'air inquiet. Je me sens poussée à dire : « Mmm, ça sent bon, ici ! » Ça ne change rien, il se tord les mains comme pour en extirper le jus, appelle faiblement Edmond à l'aide, mais Edmond l'ignore, il s'en vient tout joyeux, tenant une tasse à deux mains. Il me la donne avec un large sourire : « Voilà, chère. J'ai mis un peu de lait : complètement noir, c'est imbuvable. »

Je vide le café dans le lavabo de la salle de bain, retourne au salon. Après tout, un bon gin-tonic me fera le plus grand bien. Dans les maisons de ma mère, il y a toujours un bar dans le salon. Voilà, ici, près de la baie vitrée. Personne ne s'occupe de moi et c'est parfait comme ça. Le meuble est plein de bouteilles comme dans les films des années soixante-dix, avec bac à glaçons, carafe de cristal, siphon, verres : tout est là. Dans le fond de la pièce, ma mère dirige la conversation : « Tu vois, Monique, à l'origine, ton nom s'écrivait peut-être *Des* Aulniers ! » Au son du cube de la glace qui tinte dans le verre, elle s'interrompt :

— Que fais-tu, ma fille ?

— Un gin-tonic.

J'ai parlé d'une voix sèche et sans appel, et elle tourne la tête pour finir sa phrase. Voilà la bonne méthode : être ferme, ne pas hésiter, avoir l'air de savoir ce qu'on fait.

Je m'assois dans un fauteuil qui m'avale, au moment où Sonia synthétise la pensée de notre mère : « Réorganiser le passé antérieur peut avoir des incidences sur le présent actuel. » Ma mère est exaltée : « Même avec Internet, s'occuper de généalogie est une lourde tâche ! Du côté des ancêtres, ça va encore, mais avec les jeunes générations quel fouillis ! Comment voulez-vous mettre de l'ordre là-dedans avec les doubles noms de famille, en plus de tous ces nouveaux noms ethniques! » Monique acquiesce et renchérit:

— Nous, on a un ami de couple dont la femme est Chinoise.

— Ah, les noms asiatiques, ne m'en parle pas!

Je n'ai pas beaucoup mangé aujourd'hui, le gin entre dans mon sang comme dans un moulin, mais ça détend. Dans la folle espérance qu'on m'oublie, je sirote en hochant la tête, étire les coins de ma bouche pour compatir avec les problèmes généalogiques de ma mère. Mais elle se tourne vers moi vibrante d'indignation: « Ça ne se marie pas! Ça ne baptise pas! Et cette mode stupide de porter le nom de sa mère! » Je ne sais plus où poser mes yeux, mais heureusement le téléphone sonne à côté d'elle. Sa voix passe de silex à kleenex: *Leslie, chérie, comment tu vas?* Sa colère de la minute précédente lui a coloré les joues, elle sourit, me regarde sans me voir, et à cet instant, elle est belle. Sonia en profite pour ressortir son cell, elle le caresse un peu avant de le remettre dans son sac, l'air malheureux. Une autre gorgée de gin. Les yeux posés sur le chien qui se promène comme un robot-moppe sans fil, mes pensées flottent dans un jello mauve pâle. Ma mère dépose le téléphone avec compassion. « C'était Leslie, ils ont un problème de gardienne. »

Monique nous décrit une recette de paella qu'elle a faite la semaine dernière et mon estomac se met à gargouiller, je le somme de se taire, mais il n'en fait qu'à sa tête. Un son de cloche céleste résonne, très loin dans l'aile d'entrée. «Joëlle, irais-tu répondre? C'est sûrement ton amie.» *Bien sûr, madame, j'y vais de suite.* Le fauteuil est mou, je prends mon élan pour m'en arracher.

J'ouvre la porte, c'est Leslie et son grand sourire: «Joëlle, saluuut!» Sans hésiter, elle me serre dans ses bras, et ça fait un bien fou. Elle accroche son manteau en riant : « On a réglé le problème, c'est Steve qui garde. J'avais hâte de te voir, ça doit bien faire vingt ans, mautadit ! » Ses épais cheveux bruns sont remontés en chignon, elle porte une robe rouge pompier qui épouse ses formes généreuses ; voilà qui va mettre du punch dans le décor pastellisé.

— Leslie, tu es superbe.

— Oh, arrête.

Elle rit. « J'ai une photo des filles, veux-tu les voir ? » Deux fillettes aux yeux noisette, le reflet l'une de l'autre.

— Oh, comme elles sont belles, des jumelles !

— Mes amours.

Edmond ouvre une bouteille avec une voix de commandant de bord :

— J'ai ici un Château de Bordeaux pas piqué des vers.

— Seigneur ! Ce vin a vingt ans !

— Oui, ma chère.

Sonia a une exclamation d'horreur, on a trop rempli son assiette, elle fait glisser un gros morceau de viande dans celle de son mari. Moi qui n'en mange pas souvent, je la trouve délicieuse, Richard n'avait pas à s'en faire. Mais il *aime* s'en faire, comme en ce moment, quand il demande à Edmond, les yeux enfoncés au fond des orbites, l'air déshydraté : « Comment tu le trouves, le vin ? »

Si on me le demandait, je dirais, en grande connaisseuse que je suis, que ce vieux vin ne goûte pas grand-chose, à part le cuir moisi, peut-être. Mais je ne dis rien, j'ai fait vœu de silence : une vocation qui m'est tombée dessus quand on s'est assis à la table montée au centimètre. Je peux boire, par contre, à la deuxième lampée, je dirais, messieurs, qu'on est en présence d'un terroir terreux, avec une petite note d'étable...

Le souper va bon train, tout le monde discute. Personne ne semble se rendre compte que je ne parle pas. Ma mère dit très fort : « Les gens sont incapables de faire la différence entre un bon bordeaux et du caribou ! » La nouvelle bouteille en lice est délicieuse, elle goûte les cerises à grappes et l'été des Indiens. Je bois lentement, prends des microgorgées, de petits lacs de goût, autour de ma langue… Au bout de la table, les hommes discutent de voitures. À côté de moi, ma sœur qui boit trop vite est entrée dans sa phase *coach de vie*. Persuadée d'être la gentillesse incarnée, elle se penche vers Leslie : « Pour ta silhouette, les rayures dans le sens de la longueur, ça aide, tu sais. » Puis, se tournant vers moi : « Joëlle, as-tu lu le livre *Les femmes viennent de Mars, les hommes viennent de Vénus* ? » Je secoue la tête, les lèvres cousues avec le fil à boutons de ma vocation. Les femmes viennent de la Terre, et les hommes aussi, il faut faire avec. Elle flatte la nappe à côté de mon bras : « Les hommes ne s'attrapent pas avec du vinaigre, tu sais. Il va falloir que tu te décides à grandir un jour, on ne peut pas passer sa vie à jouer ! » Je hausse les épaules. Ma mère saute dans la conversation à bras raccourcis : « Joëlle avait un merveilleux compagnon : Charles-Antoine, un *médecin*, mais elle n'a pas su le conserver ! »

J'aurais dû l'emballer sous vide, le canner dans un pot Mason.

Ma sœur ajoute : « Il a deux enfants maintenant, je connais sa femme… Joëlle, elle, c'est la bohème qui l'intéresse. »

Les mots sortent de leurs bouches comme des lames de rasoir, je garde la tête haute et pivotante pour ne pas me faire trancher une oreille. Monique Desaulniers fait diversion en parlant d'une des jumelles de Leslie qui s'est sauvée chez le voisin pendant qu'elle la gardait. « J'ai failli mourir », dit-elle les yeux effarés.

Ma mère enchaîne sur ce topo des cas qui ont failli la faire mourir, et je sais, presque mot pour mot, ce qui s'en vient.

« Elle devait avoir un an ou deux, on était chez ma sœur », commence-t-elle, un trémolo dans la voix. « On prenait un verre sur le balcon du troisième étage avant d'aller au Festival d'été quand Joëlle décide de glisser la tête entre les barreaux, et là, elle reste coincée ! » Je pourrais interpréter la répétition de cette anecdote comme une marque d'affection si l'exaspération de ma mère ne transpirait pas tant : elle est aussi agacée qu'il y a trente ans. Monique dit avec gravité :

— À cet âge-là, quand la tête passe, le corps passe.

— Je le savais, imagine ! Je la tenais par les jambes pendant que mon beau-frère sciait le barreau ! Heureusement c'était en bois ! Mais, quand même, il a fallu deux heures pour la sortir de là !

Je prends une gorgée avec le sourire suave de la vedette. *Eh oui, c'est moi : la grosse tête qui a fait manquer le spectacle et gâché l'après-midi. Si vous voulez, je vous le refais n'importe quand !*

Je sens monter en moi le syndrome du caniche de cirque démotivé, fatigué de faire le beau, tanné de sauter dans le cerceau. Leslie me regarde, droit dans les yeux, avec un sourire qui dit : *Elles sont comme ça, qu'est-ce que tu veux ?* Je lui envoie un petit bec, via l'air ambiant. Leslie et moi, on se comprend mieux maintenant que quand on avait huit ans. Mais ma mère est en verve ce soir. D'une voix chantante nappée de crème fouettée, elle déclare : « Ma fille Joëlle, bien que pourvue de talents nombreux, a toujours eu le chic pour se mettre dans des situations périlleuses et dégradantes. » Je me demande si elle pense ce qu'elle dit, ou si ses phrases ne sont qu'une enfilade de mots qui sonnent bien. Elle aime briller, reluire, elle se croit femme du monde, elle se croit.

Il m'apparaît que ne pas parler crée un vide qui attire les vacheries. Toujours muette dans le rôle de la cible parfaite, je sens toutefois un grésillement dans mes mâchoires, là où le lubrifiant de ma tolérance a fondu. Mais ma mère, qui a trop bu, n'en a pas terminé avec moi :

— Ma fille aime manifester dans les rues de la métropole, contre les hausses, les baisses, contre l'État, contre le climat ; contre tout, quoi ! Je ne comprendrai *jamais* que ces enfants à qui on a *tout* donné aient l'audace de se plaindre aussi ouvertement ! Comment osent-ils bouleverser ainsi l'ordre public ? C'est parfaitement inadmissible !

— Tu as raison, Maman : on devrait tous les fusiller.

Incroyable, j'ai réussi : j'ai osé m'insérer entre les écailles du reptile. La seconde reste figée dans une forme racornie, et Leslie éclate d'un rire frais qui vrombit dans les notes hautes. Le mien s'enclenche, de type geyser, et je ne peux pas l'arrêter. « Joëlle, tu es ivre », dit la Reine-Mère d'un ton sec. Mon rire prend de l'ampleur, il est exponentiel, celui de Leslie, indomptable lui aussi.

Ouf, que ça fait du bien ! Pendant qu'on reprend notre souffle, ma mère vérifie le positionnement de son casque de cheveux, Monique étale son collier sur sa poitrine, et ma sœur, les sourcils froncés, tente de décrypter le minuscule message écrit sur ses ongles. Les hommes, eux, n'ont pas cessé de ronronner moteurs, imperméables au papotage des femmes.

Dans le taxi qui me ramène dans la tempête, je ne sais pas comment le chauffeur fait pour se guider à travers cette poudrerie, et je m'en fiche, je m'en contrefiche.

Transporte-moi loin, là où le temps n'est pas inutile, loin de ma famille chronophage.

Devant la porte de mon immeuble, je ne trouve pas mes clés, elles ne sont dans aucune de mes poches, je fouille mon sac comme une débile mentale. Ce maudit sac avale les trucs ou quoi ? J'en vide le contenu dans la neige. À genoux dans la tempête, je prends les objets un à un pour les refourrer dedans.

J'ai froid, j'ai trop serré les mâchoires et j'ai mal aux dents.

## Nef

Je m'en allais faire des commissions à Saint-Jean-Port-Joli. J'ai déneigé, démarré.

Je suis resté assis derrière le volant, dans la vapeur blanche de mon souffle, et je me suis dit : *Dans le fond, j'ai besoin de rien,* et j'ai coupé le contact.

C'est rendu que je pense comme Selfrid.

Je remonte à la maison, mettre mes raquettes, et je sors avec Kaya.

J'avance dans la nef d'une cathédrale à ciel ouvert. Les épinettes, les bras chargés de blanc, me regardent passer comme de vieux sages qui ont vu neiger. En ville, je détestais l'hiver : l'éternel problème du stationnement, le pelletage de neige sale, le froid humide d'une île… Ici, sur la colline, le froid est sec, craquant, son hostilité est franche et sans détour. Chacun de mes pas s'enfonce profondément dans le matelas de cristaux. Kaya cale devant moi, belle bête. Elle s'éloigne, revient tout enfarinée se reposer en marchant dans la vallée de mes pistes. Je m'arrête pour souffler, bois à ma gourde pendant que Kaya lèche les flocons de surface. La moindre balade dans cette épaisseur de neige est un entraînement de triathlon. J'écoute la forêt, le craquement du bois mort, le vent qui griffe les aiguilles des conifères. Je repars avec un deuxième souffle.

Aujourd'hui, le mercure indique moins douze, et il vente, alors j'ai fait entrer Kaya. Je la vois de mon bureau qui dort sur le plancher de bois. J'ai une tonne de boulot…

Je travaille, ça va bien, et puis ça devient laborieux. J'arrête pour manger une pomme, une soupe, du pain. Je travaille encore un peu et trouve une solution beaucoup plus simple.

Je crois au travail.

Le vent est tombé avec le soir. Je sors avec deux bières et Kaya pour aller voir mon vieux. La neige couine à chacun de mes pas avec le bruit des semelles de caoutchouc sur un plancher de gymnase. La lune se lève au-dessus des têtes d'épinettes, Kaya s'énerve devant la porte de Selfrid, les autres chiens jappent à l'intérieur.

J'entre. Il fait froid. La seule source lumineuse vient de l'intérieur du lit à baldaquin, je sursaute et une brique me tombe dans le ventre : dans le filet de lumière, la grande main de Selfrid pend, parfaitement immobile, entre les rideaux épais.

Je m'approche sans respirer, écarte le rideau. Il est en travers du lit, entortillé dans les couvertures en désordre. C'est la première fois que je le vois couché. Toute l'affection que j'ai pour lui se condense dans ma main qui tremble…

Il est brûlant, il est vivant.

Il a aspiré une grosse bouffée d'air, quand je l'ai touché, comme si l'idée de respirer lui était subitement revenue. Les chiens, qui ont sauté sur le lit dans une synchronie parfaite pour se coller aux flancs du vieux, posent sur moi leurs yeux liquides en laissant échapper des ultrasons explicites : À ton tour de faire quelque chose, l'humain.

Il avait soif. Je soutiens sa tête, il boit le grand verre d'eau au complet, les yeux fermés, les sourcils embroussaillés, presque explosés. Je bourre le poêle de bûches, mets de l'eau à chauffer ; lui passe une débarbouillette mouillée sur le visage, le torse ; change ses taies d'oreillers, son drap humide ; le recouvre d'une douillette épaisse. « Self, tu dois avaler ça. Deux aspirines pour faire baisser ta fièvre, OK? » Le visage luisant, il fixe les deux cachets comme si j'essayais de le droguer à l'ecstasy, tourne la tête en gémissant. Alors que je désespère de lui faire avaler quoi que ce soit, je remarque une photo accrochée à la doublure du rideau, une femme rousse tenant un bouquet de fleurs : Gala ! Bien sûr, elle est branchée, elle m'a déjà montré son site web ! Je lui envoie un texto détaillé. Bientôt sa réponse apparaît :

> *Dans l'armoire de chêne : la bouteille identifiée* Hydraste *: quinze gouttes dans de l'eau, deux fois par jour. S'il tousse : gouttes de molène (bouteille identifiée) et sirop de conifères dans la bouteille brune avec un décalque de sapin de Noël : une cuillerée trois fois par jour. Infusion de gingembre et citron à volonté. S'il a de la fièvre : tremper une serviette dans de l'eau froide, l'essorer et la poser sur ses pieds.*
>
> Je réponds : *Merci beaucoup Gala. Xx.*

Il dort, la maison est chaude, j'ai ouvert la trappe d'aération de l'une des fenêtres. Il a grimacé en buvant les gouttes, mais le sirop, il en a voulu une deuxième cuillerée. Il m'a demandé d'ouvrir la radio, puis il s'est endormi. Les écorces de gingembre macèrent dans l'eau bouillante. Installé dans le fauteuil de cuir, je lis l'*Almanach du peuple* de 1995, en écoutant un concerto de Chopin.

Gala est arrivée dès le lendemain matin, en raquette, avec sa besace, son sourire, ses cheveux roux en flammes débordant de sa tuque. Elle est tout de suite allée voir notre malade, puis m'a envoyé au village avec une liste de commissions. Quand je suis revenu chargé de sacs, elle faisait bouillir deux chaudrons, la place était pleine de vapeurs aromatiques, et Selfrid dormait.

— La fièvre baisse, tout va bien, c'est un rhume avec une volonté de bronchite. Je connais ça, mon fils Adrien l'a eu deux fois.

— Je ne savais même pas que tu avais un fils !

— Un jour, le chien a mordu le facteur, et de fil en aiguille je suis tombée enceinte.

J'ai admiré son bel esprit de synthèse.

— Et il va bien, Adrien ?

— Oh oui ! Il est agronome spécialisé dans la vigne à raisin.

— Ah oui ? J'ai pensé en planter sur le flanc sud.

— Les chevreuils et les ours se régaleraient, Max, ha, ha !

Elle est belle, Gala, toutes les lignes de son visage sont dans le sens du rire.

Elle fait de la soupe aux plantes, jette des ingrédients improbables dans le bouillonnement brun d'une potion magique.

— Tu vas mettre ces pissenlits poilus aussi ?

— Ha, ha ! Oui, ce sont des fleurs de tussilage. Là, j'ajoute des feuilles de molène pour dégager les poumons et des racines de guimauve comme anti-inflammatoire.

— Ça pousse dans le coin ?

— Ça vient de ta colline, Max.

Malgré toute cette belle botanique, ça n'a pas l'air très bon. Elle filtre le bouillon et redémarre l'affaire avec des oignons, de l'ail, des tomates cerises et des fines herbes italiennes. Alors là.

C'était tout simplement délicieux. J'en reprends. Selfrid, assis dans le lit avec sa tasse de soupe, boit à gorgées prudentes, et Gala parle du monde d'aujourd'hui :

— Il ne faut pas se décourager, mais arrêter de foncer dans l'utopie. Nous serions capables de rebâtir la société sur des bases nouvelles, vraiment nouvelles ! Notre gourmandise va avoir notre peau. Il serait temps d'être intelligents, d'arrêter d'avoir peur du ridicule et d'accepter nos erreurs. Ici, au Québec, il manque un projet poétique…

— C'est vrai. Ça nous prend de la poésie.

— Je pensais à *Devenir un jardin…*

— *Le plus beau des jardins.*

— Oui, c'est bon ça, le défi ! *Comment tu gages* que j'suis capable de devenir *Le plus beau des jardins…*

Elle casse un bout de pain, regarde dehors : « J'ai peur pour les écosystèmes terriens. On doit cesser d'élire des hommes dont le sang est un dérivé de pétrole. Je continue de croire au pouvoir de l'imagination. On ne s'est pas habitués à penser pour les cinq cents ans à venir, mais au point où on en est, il va falloir le faire et s'aider pour trouver de quoi rester vivants. » Self a réussi à terminer sa soupe. La tasse dans les mains, il a l'air d'un vieux sage en train de ruminer une nouvelle religion. Gala le débarrasse, il se recouche et se rendort.

Ce matin, elle m'a ouvert en souriant, et Selfrid a lancé de son lit : « Ferme pas la porte, y fait chaud que le diable icitte en dedans ! » S'il commence à se plaindre, le chenapan, c'est bon signe.

Je joue au Scrabble avec Gala, le match est serré. Toutes les fois que je pige dans le sac de lettres, Selfrid demande : « C'est-tu l'heure de mon sirop ? » J'y ai goûté au sirop. Il est à base de jeunes pousses de sapin baumier et de miel. Tu en prends une cuillerée, tu laisses ça se détendre dans ta bouche. C'est divin. Ça goûte l'idée que je me faisais de Noël dans l'enfance.

Selfrid ronfle, Gala, je sais, a hâte de lire. Je ressors à temps pour me prendre le dernier rayon de soleil dans les yeux, le ciel rouge vin. Quand je rentre, l'ombre a bouffé la colline.

Le beau sacripant, il est mort. Ce qu'il faut se dire, c'est qu'il a eu une belle vie et qu'il a eu une belle mort, entouré de ceux qui l'aimaient.

Il faut se consoler. C'était son heure.

Quand je suis allé les rejoindre, hier, de gros flocons tombaient tranquilles, c'était beau. On était là, tous ensemble, dans la maisonnette. Gala a ouvert un livre superbe sur le Vermont, après on a mangé des fèves au lard au chevreuil.

Il a sauté en bas du lit, il voulait sortir. Dehors, il a fait quelques pas dans la neige à côté de la maison. Cinq minutes plus tard, j'ai jeté un coup d'œil, et j'ai vu qu'il n'avait pas bougé. Il était toujours là dans la neige, recouvert d'une épaisse couche de flocons. J'ai ouvert la porte, je l'ai appelé, mais il n'a pas bronché. Kaya et Yaco ont bondi dehors, en trois bonds, se sont mis à dégager la neige autour de lui. J'ai accroché la grosse couverture de laine et je suis sorti. Quand je suis entré avec le chien dans les bras, Gala a lancé un petit cri étouffé, et Selfrid s'est redressé.

— Il est… ?

— Non. Pas encore.

Je l'ai déposé sur le lit. La grande main calleuse de Selfrid s'est promenée dans la fourrure de son chien jusqu'à la fin. Les autres chiens se tenaient au bord du lit, museau à museau, en émettant parfois de petites plaintes aiguës. Selfrid pleurait en silence.

Roc… Notre beau chien. Ce qui est bien, c'est qu'on a pu lui dire combien on le trouvait fin, gentil, intelligent et bon chien. Le meilleur chien du monde. Et il est mort comme ça, dans la certitude d'être aimé de tous ceux qu'il aimait.

C'est une belle mort.

## Piano

Je me réveille, dans la pénombre verte, tire les rideaux et la lumière contracte violemment mes pupilles. Encore une tempête ?

Tout est blanc, la neige s'est collée partout, aux arbres, aux branches, sur chaque tige, chaque fil… Les voitures sont des dunes opalescentes qui ondulent le long de ce qui était une rue, et en plein milieu, des enfants s'amusent.

J'ai mangé tout ce qu'il me restait : deux œufs, trois toasts, une poignée de crevettes nordiques. Je m'habille et sors dans le blanc. L'épicerie est pleine de monde, la tempête a déclenché le réflexe de provisions : nous sommes des écureuils survivationnistes pris de fébrilité pré-cocooning. J'achète des poires, des kiwis, des pacanes, de la roquette, des boules de bufflonne, des œufs, du kéfir ; j'achète *Le Devoir.*

Je fais la queue à côté de fleurs fuchsia, rose fluo, vert lime et bleu de méthylène. J'imagine la carte qui irait avec le bouquet : *Mon amour, j'éprouve pour toi des sentiments contrastés, disparates et psychédéliques. Viens me retrouver pour un bon trip d'acide.*

Le jeune caissier stoïque s'est fait tatouer un code-barres sur le bras – c'est ce qui s'appelle prendre sa djobe au sérieux. Le terminal de paiement est lent, entre chaque client, il a le temps de texter : pendant une fraction de seconde, il regarde affectueusement son téléphone, et on voit son vrai visage.

À quoi sert l'hiver. À lire. Ce matin, j'ai flâné au lit avec Andreï Makine, *Au temps du fleuve Amour…* Un délice.

Je cours, je cours, je zigzague entre les gens sur le trottoir. J'ai trop lu, je suis en retard à mon rendez-vous chez le dentiste. C'est ici, dans cette tour. À la dernière minute, un homme entre dans l'ascenseur et m'enrobe de la nébuleuse de son parfum expansif. La porte se referme. J'essaie de retenir mon souffle, mais c'est difficile parce que j'ai couru. Notre cube d'oxygène restreint s'élève, imprégné d'un redoutable cocktail de synthèse, volatil et capiteux. J'imagine son rituel matinal : shampoing antipelliculaire au napalm, cire à ski professionnelle sous les bras, rasoir à six lames, after-shave viril au poivre marin : *pif paf* dans' face. En touche finale, un phsiiit de parfum : *Muscles musqués* de Gorlo.

Je garde les yeux levés vers le chiffre qui grimpe. L'homme me regarde via le miroir, sa tête bascule sur le côté et il me gratifie d'un sourire sans équivoque de type : *Mais c'est que tu m'intéresses, toi…* Concentrée sur mon apnée, je ne bouge pas d'un cil. On est seulement au troisième étage et il y en a huit. Je suis partie trop vite, j'ai oublié de prendre ma pilule de vérité…

*Pardon, monsieur, as-tu remarqué que t'as l'âge d'être mon père ? Tu te cherches une tite femme, monsieur ? Je sais que tu veux pogner, mais t'as trop mis de parfum. Il faut pas trop en mettre, sinon ça pue. Tu savais pas ? Ça bousille les phéromones, et nous, les tites femelles, on a beaucoup de capteurs olfactifs… Tu savais pas ça non plus, hein, monsieur ? Je te l'apprends. Souviens-toi-z-en.*

Ouf, il est descendu au cinquième. J'ai eu droit au clin d'œil gaillard, conclusion logique du sourire lubrique de l'intro.

Bon, je ne suis pas en retard. Le dentiste a un cas plus compliqué que prévu.

Dans la salle d'attente, une chanson de Tire le coyote se mélange à la douce musique de la fraise en forage. Et moi qui ai laissé Andreï à la maison…

En feuilletant le papier glacé du *Elle*, j'apprends que *ce printemps, les jambes seront longues*, que l'œil au beurre noir fait un retour en force et qu'on peut porter son pyjama dans la rue – avec des escarpins, bien entendu. Une boutique annonce: *Sourcil gratuit!* Comme c'est pratique, on ne sait jamais quand on aura besoin d'un petit sourcil supplémentaire. Attention aux *biouti faux pas*; première leçon, le *hit bag*: tenir son sac par les poignées est totalement dépassé, *on le porte dans ses bras, comme un bébé qu'on présenterait au monde.* Je me replie sur le *National Geographic* et j'en apprends une beurrée sur les déchets panorbitaux qui flottent dans le ciel: une grosse ceinture de métal, lancée à trois mille kilomètres-heure au-dessus de nos têtes. Charmant. Dans un *Paris Match* déjà tout pelucheux, il y a des photos de William & Kate; il ventait, et un paparazzo a réussi à photographier un p'tit bout de fesse de duchesse. Palpitant. Je tourne les pages minces de plus en plus vite et tombe sur la double page d'horreur pixellisée…

Je ferme le magazine, ferme les yeux, le gros titre imprimé sur la rétine: *La bombe a explosé au marché.* Pauvres eux, pauvres eux… Vivre avec la peur, et finir en charpie en allant acheter des tomates. Je sens la tristesse contemporaine m'envelopper comme une cape de caramel mou. Alors, toi, le mort sur deux pattes avec ta ceinture: t'es fier? Tu voulais ton quinze minutes de gloire? Ton deux secondes d'éclat?

C'est mon tour. L'hygiéniste fait les radiographies. Avant de commencer le nettoyage. Elle dit: «Vous avez de bonnes dents, mais il ne faut jamais oublier de passer la soie dentaire. *Jamais.*» Je hoche la tête, la bouche ouverte, otage en détartrage. C'est important la soie, elle en parle longuement : *la soie dentaire, la soie dentaire...* Brusquement, elle change de sujet. L'été à leur chalet, des ours noirs se promènent sur le terrain. Elle dit avec gaieté, derrière son masque du même bleu que ses yeux : « Ils sont trois : la mère et deux petits ! Les voisins les ont vus ! Il y avait des pistes dans le carré de sable des enfants ! »

Quand mon émail brille comme un miroir, le dentiste arrive. Il regarde les radios, tout en discutant en langage codé avec son assistante qui prépare une seringue plutôt grande, mais ce dentiste est un artiste, et ça ne fait pas mal. En moins de deux, je suis gelée, il m'installe un chapiteau extensible dans la bouche, et excave du plomb gris pour le remplacer par du mercure blanc. Pendant qu'il sculpte ma dent, je supervise les opérations dans le reflet de ses lunettes sophistiquées, alors que près de mon oreille gauche ma salive est aspirée sur fond de cool jazz.

Quand je sors, il fait déjà noir, dans ma bouche ma langue est un objet encombrant.

Je soupe avec des poires pelées en quartiers et un bol de crème glacée à la vanille arrosée de sirop de bouleau.

Je me fais mon petit cinéma en écrivant à la lueur de deux chandelles. Je recopie une anecdote de Kierkegaard : *Il arriva que le feu prît dans les coulisses d'un théâtre. Le bouffon vint en avertir le public. On pensa qu'il faisait de l'esprit et on applaudit, on rit de plus belle. C'est ainsi, je pense, que périra le monde : dans la joie générale des gens spirituels qui croiront à une farce.*

J'ai mal à ma planète. On dirait que l'humanité est engagée dans le début de la fin. Petite, j'imaginais que la fin du monde arriverait d'un coup : Bang ! *El mundo finito.* Ils n'allaient pas avoir le temps de l'annoncer cent ans d'avance... Je crois que je souffre sporadiquement d'écoanxiété… *Piano* en italien veut dire : doux. *Piano, piano !* dit la maman italienne à son enfant turbulent. J'ai envie de dire ça à mon époque : *piano, piano, pianissimo…*

J'écris pour m'encourager, ne pas oublier de garder la tête haute, accrochée au ciel, extirper la pulpe de ma vie.

*Quand on te dit de te taire, réfléchis.*
*Prends garde à ce qui fige la pensée.*
*Tu as ta place dans le charivari des bruits,*
*cherche les mots qui englobent, ceux qui se chantent*
*et n'oublie pas les silences, entre les sons,*
*c'est ce qui fait la musique.*

Je délabyrinthe… J'ai le goût d'attraper ma vie dans le creux de mes paumes, de la retenir… C'est de la folie ! La vie passe, elle ne fait que ça. Mais je suis folle, j'essaie quand même. Avec tout ce qu'on dit de la vie, la mienne pourrait penser qu'elle n'est pas belle, et faudrait pas.

*Toi, ma vie, n'oublie jamais que je t'aime,*
*tu es phénoménale, tu es mienne.*
*Et toi, amour, j'ai hâte que tu existes.*
*L'âme au fond des yeux, explorer ton souffle*
*dans l'accord de nos peaux complices.*

Je ne vais pas perdre mon temps à faire semblant. Si notre passage sur Terre n'est qu'une minuscule goutte d'eau, je veux être une goutte limpide. Ici, plus personne ne perd son temps à faire semblant, c'est clair ? C'est un affront au temps qui passe.

Et, si on veut dormir, on dort.

Ça va bien avec mon écrivaine, elle a aimé mon dessin de famille devant la *Soirée du hockey*. Je l'ai fait du point de vue de la télévision : du monde plein le sofa, certains assis par terre, un mince filet de fumée qui s'élève de chaque adulte, et la pièce surmontée d'un nuage de boucane frisé comme de la laine d'acier. Elle a éclaté de rire : « Oui, c'est tout à fait ça ! » Je la fais rire facilement. J'aime illustrer son histoire.

Un jour, peut-être, je ferai les dessins pour l'histoire que j'ai en tête : de petits êtres qui vivent dans des microvillas boréales. Il faut que je l'écrive ; j'aimerais aussi refaire de la couture. J'ai de l'ambition, c'est à hurler aux loups.

*Quand j'étais une plante, j'offrais mon visage au soleil, mes racines à la terre, et j'exultais de vivre.*
*Croître, quel délice ! Dérouler sa feuille humide.*
*J'aimais ça.*
*Sous les étoiles et dans le vent, j'ai goûté toutes les saisons.*
*J'ai chanté sous la pluie, dansé le nectar de la terre.*
*Quand venait le froid, le sec, quand venait la soif, j'endormais mes racines et pensais lentement.*
*J'ai profité de chaque seconde, grandir sous les étoiles, nourrir le ciel, c'était mon but.*
*D'ailleurs, ça continue.*

J'ai relu ça, je l'ai recopié sur une feuille à part. Et, je ne sais pas ce qui m'a pris, je me suis retrouvée dans l'escalier, à grimper les marches deux par deux, pour l'offrir à Adelia. Arrivée à sa porte, j'ai repris mon souffle avant de frapper, et je n'ai pas frappé. Mon poing fermé est resté devant mon nez. Je suis redescendue d'un étage, j'ai changé d'idée, remonté deux volées de marche ; oh, et puis non.

Une vraie folle…

De retour chez moi, l'âme emberlificotée dans un macramé de nœuds compliqués, j'ai pensé écrire un livre : *Le défrisage de soi* ou *Comment autoproduire de la mélancolie.*

Je me suis brossé les cheveux la tête en bas, me suis redressée d'un coup, et il y avait cette fille qui me regardait dans le miroir avec son air de désaxée émotionnelle, mi-figue, mi-poire. Elle était dans sa clinique de désintox et disait à son reflet : *I deeply and profoundly love myself,* et elle le répétait : *I deeply and profoundly love myself.* Le pléonasme m'énervait au plus haut point. La fille s'est fâchée et m'a jeté au visage :

— Peureuse, peureuse !

— C'est délicat, personne n'a jamais lu ce que j'écris, et…

— Surtout, ne fais jamais rien lire à *personne* ! Tout d'un coup c'est insignifiant !

Je suis repartie, j'ai grimpé les marches à toute vitesse et frappé à la porte sans attendre. Adelia a ouvert la porte avec ses yeux, si grands, si beaux.

— Joëlle, ça va ?

— Oui, j'ai juste couru.

Finalement, c'était une bonne idée. Adelia s'est assise pour le lire : elle a pris son temps et après, quand elle a relevé la tête… Je ne pensais plus que j'étais encore capable de faire rayonner un visage comme ça. Je me suis sentie grandir. Elle m'a donné une robe de dentelle ancienne qui me va comme un gant et, quand je suis partie, elle m'a embrassée sur le front, comme mon père faisait.

Je dois faire attention à mes disputations mentales, les montagnes que j'échafaude avec de la vapeur de stress. C'est beau, la survie sur un voilier qui dérive, mais un p'tit gouvernail, ça fait pas de tort.

J'écris à mon frère : *Je crois que je suis bipolaire.*

Le temps de remplir un arrosoir, le tintement de sa réponse se fait entendre.

*Multipolaire, c'est encore mieux!*
*Chanceuse d'être au Québec, dans le blanc et le frette. À Macao le ciel est jaune, je mange des choses bizarres dans des quartiers où on donne des coups de pied aux chiens. Lâche pas, Biche. Quand on s'arrête, c'est pire.*

*xxxxxxx Vic*

Depuis une semaine, je travaille le matin, dans la lumière qui illumine le studio. Vers deux heures, je grimpe rejoindre le soleil et marche le long de la crête pour le garder accroché à la lisière des cils. Dans le parc de l'ancien monastère, le chêne m'attend pour son accolade. Il est vieux, mes bras n'en font pas le tour. J'appuie ma joue sur son écorce et je sens sa force, son ampleur, il est aussi grand sous la terre que dans les airs. Quelqu'un qui me verrait étreindre ce vieil arbre pourrait penser que je suis en carence affective, prête à appliquer n'importe quelle théorie empirique pour combler mon gouffre émotionnel, et il n'aurait pas tort. Je pense parfois à Maxime Rivière, son image est de plus en plus floue, mais pas le frisson que j'ai eu quand il a respiré dans mes cheveux.

La question est: vivre ou faire semblant de vivre?

Aujourd'hui, je m'habille pour bouger. Je mets mes bottes et des bas bien secs dans mon sac à dos, attache les skis avec les bâtons en poignée de transport et pars pour les Plaines. J'ai trouvé ces skis pour dix dollars, je les ai dégommés, j'ai refait la base et les ai cirés comme des champions.

J'arrive dans le grand parc déjà réchauffée, change de bottes dans le pavillon et, quand je m'élance dans le blanc scintillant avec le fleuve en fond de paysage, je n'ai plus aucun problème dans la vie.

Affamée après ma douche, j'invente une recette. Ricardo, écoute ça: *Dorer des pacanes crues à feu doux jusqu'à ce que ça sente bon. Dans un bol, mélanger des langues de mangues, des rondelles de poires, un cœur de laitue, du cresson et de la mâche. Ajouter un peu d'huile d'olive, un soupçon de tahini et quelques gouttes de lime.*

*Manger en pensant à des choses agréables.*

J'aime les feuilles, je les trouve toutes bonnes.

Je vais à la bibli, je colle une heure dans la section des vivaces à regarder, extasiée, mille variantes de couleurs et d'agencements d'atomes. Je rentre, chargée à bloc. Dans le reflet d'une vitrine, ma silhouette de sherpani est traversée des lumières de Noël qui clignotent. Je commençais à être sursaturée du bling-bling noëllesque, mais depuis l'invitation d'Éléonore à passer la soirée avec eux, au lieu d'être tannée, j'ai hâte.

Elle a dit : « Invite quelqu'un. » J'ai tout de suite su qui. Dans une belle synchronicité, le même jour, une enveloppe cachetée à la cire attendait, accrochée avec un brin de laine à la poignée de ma porte : Adelia, son écriture de maîtresse d'école qui m'invitait pour Noël.

Nous sommes allées chez Éléonore. Le frère de Boris était là avec sa femme et ses enfants. On prenait un verre en bas pendant qu'au-dessus de nos têtes, le plafond résonnait des petits pas qui préparaient un spectacle. On a arrangé la table d'un grand buffet, j'avais fait de petits balluchons de pâte filo fourrés d'un morceau de brie, d'une framboise et d'un filet de sirop d'érable ; je les ai sortis du four, craquants et dorés : ça a fait fureur. Adelia aussi a fait fureur. Elle portait sa robe de velours perlé, ils l'ont incluse dans le spectacle, dans le rôle de la reine, *of course.* J'ai offert à Éléonore le dessin d'une gymnaste au paroxysme du salto au-dessus d'un banc de neige.

Dans le taxi pour rentrer, Adelia et moi, vannées, le sourire aux lèvres…

Le surlendemain, je suis allée bruncher chez elle. On a beaucoup parlé. Elle m'a raconté pour sa fille... : « Au début, toutes les fois que ma bouche souriait, j'avais conscience de faire semblant, je le faisais pour qu'ils me laissent tranquille, pour pouvoir me réfugier et pleurer, pleurer autant que je voulais... Elle avait vingt-six ans. Ma belle Jeanne, mon bébé... Au fil des années, ma peine est sortie de mon corps, elle s'est transformée en une conscience accrue des petites choses de la vie. Un jour, j'ai compris qu'au lieu de me sentir amoindrie je pouvais me sentir *augmentée.* L'amour que j'ai pour Jeanne n'est pas mort et ne mourra jamais. Au lieu de me retirer de la vie, je dois vivre encore plus, par respect pour la joie que ma fille a eue à vivre sa vie. Maintenant, elle fait partie de moi, chaque cellule de mon corps la contient... Je la respire. »

J'avais les yeux pleins d'eau quand elle m'a entraînée devant son ordinateur pour me montrer l'annonce d'un petit meuble de bois. Sur l'image, il y avait le bandeau rouge avec le mot *VENDU.*

Je ne comprenais pas son sourire espiègle : « C'est une machine à coudre, ils vont vous la livrer dans trois jours, une bonne vieille solide qui n'a pratiquement jamais servi ! » J'étais si contente, je l'ai serrée fort dans mes bras, je riais et je pleurais en même temps, c'était si gentil ! Si attentionné ! Elle m'avait entendue le dire ou le penser ?

Alors je me suis acheté les fourrures. Je les reluquais depuis que je les avais flattées, la première fois cet automne, au magasin de tissus. Je comprends mal mon attirance pour cette peluche synthétique sophistiquée, mais je l'assume. Ça ressemble à un désir de toutou doux, une espèce d'attaque d'attendrissement. J'ai choisi des fourrures du terroir : vison, castor, loup, lynx, ours. J'ai laissé faire le dalmatien, la girafe et le léopard.

Elles sont là, mes peaux, bien étalées sur le bois blond, et moi, étalée sur elles, glissant d'une position à l'autre comme une pin-up mitraillée par les flashs d'un photographe invisible.

Un midi, en sortant de la Maison de la littérature, je croise ma nièce, qui crie de joie en me voyant. Elle est avec ses copines de l'école, leurs joues sont roses, leurs jupes marine à plis dépassent de leurs parkas colorés. Elle me prend à part l'air catastrophé, catapulte ses mots les uns par-dessus les autres : « Maman veut que j'arrête la musique, mais j'peux pas ! J'peux pas arrêter le piano ! Elle décide ça comme ça ! Joëlle, il-faut-que-tu-lui-parles, il-faut-absolument-que-tu-lui-parles ! » J'essaie de la rassurer du mieux que je peux : « Je vais parler à Sonia, promis, laisse-moi un peu de temps, ma belle Colombe. »

Quelle confiance elle a en moi… Ooouf ! Je dois préparer un argumentaire sans faille. J'ose à peine l'imaginer :

— *Elle aime la musique, elle m'a suppliée de te convaincre…*

— *C'est MA fille !*

Elle aurait raison à cent pour cent. La vérité, c'est que je n'ai pas l'ombre d'une influence sur Sonia.

Depuis une semaine, il pleut sans arrêt, on est en compétition avec Seattle, mais aujourd'hui c'est le premier jour du printemps ; ils l'ont dit à la radio.

J'essaie de résumer l'hiver qu'on a eu :

Par les temps qui courent, comme le veut l'époque, les hivers rêvent de gloire et cherchent à être inscrits dans le livre des records : une tempête du siècle chaque année, flocons, grêle, grêlons : petits, moyens, gros, balles de golf ; bruine, pluie, pluie verglaçante. L'hiver mise sur la surenchère de figures acrobatiques.

Ça faisait longtemps que je n'avais pas écrit dans mon cahier. Dehors, la pluie martèle les rues, super fière de bousiller l'ambiance. C'est une pluie bébé gâté : quand elle consent à diminuer, c'est pour vous laisser le temps d'aller jeter un coup d'œil, et aussitôt qu'elle vous voit la regarder, elle revient en force cribler le vernis noir de l'asphalte.

Il faut avoir vécu l'hiver québécois pour comprendre à quel point le printemps peut être espéré, attendu, désiré ; pour expliquer la frénésie qui nous prend lorsque les bourgeons ont les joues gonflées, prêts à éclater de rire ; l'espèce d'orgasme qu'on a quand ils éclatent, et l'euphorie généralisée qui s'en suit.

Mais, heureusement, les livres existent. Surplombant la canopée de ma jungle personnelle, étendue dans une position improbable parmi mes nouveaux coussins de fourrures sauvages, je lis Irène Némirovsky. Le truc pour aimer lire, c'est le silence.

Ce matin, je vais chercher ma paye à la boulangerie, un beau gros chèque qui tombe à pic. Il ne pleut pas, il fait *gris contemporain*. À mi-pente dans la côte de Salaberry, je croise le gars qui monte-descend toute la journée, je le vois souvent, il ne regarde personne, monte-descend, monte-descend... Quand je tombe sur lui au coucher du soleil, il se traîne les pieds dans la montée, pauvre lui, quelle mission. La neige qui reste n'est plus que galettes calcifiées dans le gravier, fossilisées dans l'huile à moteur. Mais même dans cette terre saturée de mégots et de crottes, ignorant les cochonneries, un buisson a déroulé ses bébés feuilles comme de jolis bijoux de jade... Oui, c'est bien, ça, printemps, montre-toi, on salive comme des affamés, tu seras accueilli en roi ! Aaah, j'ai hâte.

Ça va quand même bien, mes affaires… Je m'invente un horoscope :

*Taureau : Avec la lune en sucre d'or et les planètes qui dansent en ligne, profitez de la chance qui passe, vous êtes dans votre vie réelle, c'est la meilleure partie. Vos chances de rencontrer l'amour nouveau sont fortes, car vous n'en avez pas encore. Ne vous en faites pas, vous avez une fée marraine qui vous aime et vous protège.*

Je fais partie du groupe restreint des personnes qui reçoivent un message écrit de la main de leur propriétaire pour les informer que le loyer va *baisser.*

Je sors de la boulangerie, et c'est inespéré, le soleil est là ! Il a tranché dans le gris, les nuages effilochés sont en fuite, le bleu domine. C'est incroyable, il fait presque chaud ! Hourra ! Je m'en vais rouler au parc du Bois-de-Coulonge, plein de tulipes !

Je cours dans la rue lavée par la pluie qui sèche par plaques fumantes. J'arrive chez moi, arrache mes vêtements, enfile ma tenue aérodynamique, mes gants de vitesse, mon casque antigravitationnel, ma clé de cadenas. Je dévale les marches à toute volée pour rejoindre Furi qui m'attend, mais en bas j'ai une hallucination : il n'est pas là.

Le métal du support à vélo… scié. Non.

Pas mon cheval.

Non !

# Apéro

Le printemps était là, bien débarqué ; hier j'ai vu un colibri. Mais ici, même en mai, l'hiver a le bras long. En une nuit : trente centimètres de blanc aveuglant par-dessus le vert qui venait de se pointer le nez. Dans l'établi à midi, je gossais un truc dans la lumière éclatante quand Kaya a émis un drôle de son. J'ai entendu un frottement bizarre qui grondait de partout, qui gonflait, gonflait, et d'un seul coup la neige chauffée par le soleil a glissé du toit dans un bruit de tonnerre. Mon chien me regardait, aux aguets, dans la pénombre bleue. Je suis sorti pelleter, en t-shirt, casquette et verres fumés, et la brigade des mésanges s'est installée dans le mélèze pour commenter ma performance.

Sur la chaise longue au bout de la terrasse que j'ai dégagée, je dessine en écoutant le printemps qui déborde et les chants de courtisans des oiseaux. Les gouttes ont fondé une fanfare de percussions, elles jouent, ruissellent, rigolent, euphoriques et désynchro.

Selfrid passe dans mon champ de vision, sa hache sur l'épaule.

— Self, tu viendras, tantôt pour l'apéro ? À l'heure des vaches ?

— Peut-être bin.

Ça veut dire oui. Parce que quand c'est non, c'est non.

Il arrive à sept heures :

— As-tu vu ça ? Y fait encore clair !

— Installe-toi, Self.

Je fais un geste vers le grand sofa, mais il s'assoit toujours dans la vieille chaise de bois. Au début, il n'est pas très jasant. Je fais coulisser les persiennes qui cachent la télé, allume ça au poste d'information continue et pars vers la cuisine, lui laisser le temps de s'acclimater; je commence à le connaître, mon ami.

Quand je reviens avec deux verres de bière, c'est la fin des nouvelles nationales, et Selfrid est déjà outré. Je suis content, il a l'air en forme :

— Ça me met en beau fusil quand y se mettent à parler de la cravate de l'un, pis du costume de l'autre, pour décider de qui c'est qui gagne un débat !

— La forme a remplacé le fond.

— La politique, c'est pas rien que des joutes oratoires !

— Souvent, ils s'organisent pour ne pas dire grand-chose.

— Rendu là, aussi bin engager des acteurs !

On trinque, on placote, sa sœur est grand-mère pour la troisième fois, l'enfant a l'air d'un ange, il en parle en secouant lentement la tête. « Ça se peut quasiment pas, Max, comment la race humaine s'embellit... » Il redevient attentif pour le journal de France 2. Eux aussi ont eu une bordée printanière, on voit le nord du pays sous quinze centimètres de neige céder à ce qui m'a tout l'air d'une panique générale. Selfrid pose son verre, se redresse. Derrière quelques flocons épars, le journaliste l'air transi parle en accéléré : *Alerte orange, épisode neigeux actif dans le nord du Finistère...* Le rire de Selfrid remplit la pièce comme un jet de poudreuse. Dans le faisceau d'une lampe de poche, on voit un gars à genoux dans la bouette, en train d'essayer d'installer de grosses chaînes emmêlées à la roue de son auto. « Pauvres Français, stuckés là, pas équipés pantoute, après toute qu'est-ce qui leur arrive ! »

Le reportage suivant portait sur la BRDA, la Brigade de répression de la délinquance astucieuse. Quand il entend ça, Selfrid s'étouffe presque : « Je les aime-tu assez ! Aaah : même les crimes, y leur donnent des beaux titres ! Ha, ha, ha ! » Il riait tellement fort, les chiens sont venus aux nouvelles de l'autre côté de la porte vitrée, nous regarder la tête penchée, l'air désolé du désordre mental de leurs maîtres.

Ce matin, Nic m'appelle, pour que je monte à Québec :

— On va aller à la manif !

— Oh, tu sais, moi, les manifs…

— C'est la Manif d'art de Québec ! Charlotte revient de Paris, elle expose ses trucs, viens-t'en, ça va être le fun !

Je sais pas comment il fait, le p'tit torvis, impossible de lui résister.

Nous avons mangé un poisson excellent. À la sortie du resto, Nic s'est fait harponner par une connaissance, alors je l'attends mollo, assis à la terrasse en observant une corneille. Juchée sur le bord d'un bac de récupération, une enveloppe dans son bec, elle la pose de l'autre côté du bac, fait la même chose avec une autre enveloppe, et une autre encore… Une jolie pile d'enveloppes blanches ; la jaune matelassée, elle la lance par terre. Mon frère sort, d'un petit mouvement du menton, j'attire son attention sur l'oiseau :

— Regarde, la corneille trie le courrier.

— Elle attend une lettre.

Nous marchons côte à côte. Il est fébrile, il va voir sa blonde. « Ils ont monté son exposition pendant qu'elle était en Europe avec une autre expo, elle s'en vient de l'aéroport, en ce moment ! Ce qu'elle fait, Max, c'est mirifique, tu vas tomber en bas de ta chaise. »

On est dans un quartier de rues étroites et d'usines désaffectées. À un carrefour, Nic me montre un cercle dessiné au sol, il met les deux pieds dedans et regarde vers le ciel : « Ça commence ici, Bro. » Je ne repère rien de particulier. Il me cède la place dans le cercle et je vois un immense télescope. L'artiste l'a peint sur différents toits et il a utilisé une cheminée pour le tube optique. L'illusion fonctionne, vous vous déplacez de trois pas et l'image se disloque.

« Charlotte, c'est là. » Une rue est fermée par des rubans et des oriflammes. On entre dans un espace vide aux fenêtres tendues de rideaux noirs. C'est sombre, mais posé sur un socle au milieu de la place, un bloc vert diffuse une lumière mouvante… un aquarium ? Nicolas a déjà disparu. Des quatre coins de la pièce, on entend des bruits d'eau, de bulles, un cri de baleine au loin. Aimanté par le cube lumineux, je m'approche, discerne du mouvement… Wow, une cité engloutie ! Sur un monticule de mousse, un tas de pièces de monnaie et de bijoux est surplombé d'une ville miniature, un petit Mont-Saint-Michel vert. Le décor entier est recouvert de cette algue, fine comme le duvet d'un bébé ; hypersensible, réagissant à la moindre bulle, s'ouvrant en deux au passage du moindre petit poisson arc-en-ciel. Je fais lentement le tour de l'œuvre. Des vestiges miniatures émergent, touchants de réalisme : une bicyclette a été oubliée, la porte d'une voiture est restée ouverte à côté d'une valise… Un cri de joie déchire les sons sous-marins de la galerie. Je me retourne à temps pour voir la silhouette de mon frère accueillir à pleins bras la femme qui se jette sur lui.

Il y a eu des coupes de champagne. Charlotte rayonnait. Je l'ai félicitée sans réussir à formuler ce que j'avais ressenti devant son œuvre : « Quel beau travail, Charlotte, on se retrouve vraiment… plongé. »

Elle a voulu sortir prendre l'air. On a marché, c'est vrai que ça faisait du bien. Nic a indiqué une ancienne caserne de pompiers aux portes grandes ouvertes : « Là, c'est le QG, le bistro officiel de la biennale, la place idéale pour… Pour se détendre, se prendre l'apéro, genre ! » Deux personnes assises à l'intérieur, des tables installées au soleil ; pas trop tenté pour l'instant.

— Tu nous attends ici, Max ? On a un truc à aller chercher chez moi…

— Ah oui, pas de problème, je vais être ici !

Ils sont partis presque en courant. Hey, réveille, homme des bois, ces deux-là ne se sont pas vus depuis un mois.

J'ai bouquiné dans une librairie d'occasion. J'ai flatté des écharpes de soie dans la boutique à côté, je n'ai pas pu résister à la jaune, joyeuse comme le printemps ; elle est dans la poche de ma veste, comme de l'eau douce entre mes doigts. J'entre à la caserne du QG. C'est vaste à souhait, j'aime bien les tabourets à pieds chromés, plantés le long du bar, ça fait longtemps que… Et là je la vois, Joëlle, c'est elle.

Devant un verre de vin blanc, le dos bien droit dans une robe de dentelle blanche, ses petites fesses posées sur le siège de cuir rouge.

Je m'assois un tabouret plus loin, commande un verre, et je n'ai qu'à tourner la tête pour admirer son beau profil. Le deuxième plan par contre est pénible : un gars – l'archétype du surfeur sans planche : cheveux blondasses et chemise à fleurs –, à moitié affalé sur le comptoir, lui parle sans la lâcher des yeux : « On sait pas qui y sont, ces gens-là, on a beau les filtrer, y se sauvent de chez eux pour des raisons pas toujours claires ! » Elle répond sans tourner la tête :

— Pas claires ? Ils fuient la guerre ! Ils sont tannés de la violence, du coupage de main, du coupage de tête ! Quand tu reçois un tonneau d'explosifs sur ta maison, tu déménages.

— Mais pourquoi ici, hein ?

— Parce que tu crois qu'ils choisissent ? Penses-tu que quand t'embarques à cinquante dans une chaloupe pour traverser la mer, tu *choisis* ? Que c'est ça, ton plan de carrière ? Tu glisses des ti-flotteurs soufflés cheap autour des bras de ton bébé, toute fière de manigancer un loyer gratis au Canada ?

— C'est vrai que, rendus ici, ils se font prendre en charge solide.

Comment peut-elle parler à un moron pareil ? Bon : elle ne lui parle plus.

Elle prend une gorgée de vin, les yeux rivés sur l'écran géant du bar où on voit des chars d'assaut. Oh... sa cascade de cheveux couleur violon. Bon sang, qu'elle est belle ! Pourquoi je ne peux pas simplement dire : *Joëlle, salut ! C'est moi : Max, tu sais, au vernissage, cet hiver, quand j'ai... quand j'ai...* Ta gueule, Rivière.

Les rayons du soleil entrent à l'oblique dans la place. Le gars n'a pas fini de lui expliquer le monde : « La guerre, ça s'arrêtera jamais, ç'a toujours été, qu'est-ce que tu veux, les hommes se battent. » Elle répond du tac au tac : « Le bonheur de se taper dessus existe mais, pour ça, il y a le sport ! » Bien envoyé, Joëlle !

Maintenant, retourne-toi, regarde-*moi.* Elle réinstalle ses fesses sur le tabouret de cuir rouge. L'avoir dans mes bras, qu'elle y reste un peu. Je pencherais la tête, elle serait là, souple et chaude... C'est trop demander, ça ?

Ah enfin, elle se tourne vers moi... Sans me voir.

Elle regarde dans la rue, au loin, de ses yeux vert intense. À contre-jour, je suis invisible. Je n'ose pas interrompre son attention, l'impossible harmonie de ses traits. Elle pivote, prend une gorgée. C'est trop, je me lève, je suis prêt. Elle se retourne de nouveau, ses yeux cillent avant de s'agrandir, elle glisse du tabouret, souriante et magnifique, ses bras s'ouvrent, un gars me bouscule, l'attrape par la taille, la soulève et la fait tourbillonner pendant qu'elle lance dans la stratosphère un cri délirant de joie.

Il la dépose à deux pas de moi. Ses joues enfiévrées, son sourire étourdissant ; elle ouvre les bras : « Maxime Rivière ? » et les referme autour de moi. Puis se dégage et se colle sur l'autre gars. Je sens la douceur de la soie dans ma poche et je sors le foulard à la manière du magicien qui décide de prendre sa retraite : « Tiens, pour toi, Joëlle. »

## Alter ego

J'ai cherché Furi partout. Je le cherche encore. On m'a amputée de ma vitesse. Jamais personne ne pourra comprendre à quel point j'aimais ce vélo. Ça ne s'avoue pas, pleurer pour un vélo. Mais j'ai pleuré.

J'ai décortiqué tous les racks à vélo de la ville, l'œil drogué par l'espoir de voir sa silhouette parfaite se dessiner dans le tas. Tous les scénarios y sont passés, véritables cauchemars en plein jour. J'imaginais quelqu'un le démembrer, lui: Furi le pur, assemblé par monsieur Giuseppe, l'équilibre parfait mis en pièce comme de la vulgaire quincaillerie! Mon beau Furi, d'un vert lisse, sans logo ni tatouage, avec sa selle rebondie et ses poignées de cuir. Je n'arrive toujours pas à me rentrer dans la tête que je ne le chevaucherai plus.

Je me suis dit que, voyant sa grande valeur, on l'avait vendu aussitôt, pour de l'argent facile... Dans l'heure qui a suivi cette pensée, je me suis racheté des souliers de course pour faire le tour des commerces de revente qui pullulent dans le quartier. J'entrais en saluant d'un mouvement de tête, en trois secondes, mes yeux d'androïde à large spectre scannaient la place, je m'éjectais et courais au prochain... Pathétique.

Pour ajouter à l'ambiance, une tempête printanière a rempli de neige les calices des tulipes. Tout a fondu très vite, évidemment, et après il a plu, plu, plu... Des rivières ont débordé, des ponts sont partis à l'eau, mais ça n'a même pas freiné mes recherches, la pluie se confondait avec mes larmes dans la pure tradition du mélodrame triste et incognito.

J'ai essayé de me dépoussiérer l'esprit. Lancée dans un ménage effréné, j'ai coupé toutes les feuilles qui n'étaient pas parfaites, balayé, rangé, secoué, frotté, lavé à grande eau. Réfugiée sur les hauteurs de mon lit, j'ai attendu que le plancher sèche en essayant de lire sans y arriver. Je me suis mise à rêver que Furi avait été enlevé par amour. Il roulait toujours, du moins : parfois. Le reste du temps, il m'attendait, enchaîné quelque part.

Alors qu'il faisait un temps superbe, j'ai patrouillé les ruelles du quartier Montcalm, endeuillée et ridicule – l'image de Furi attaché à une clôture, imprimée dans le cerveau. Le fait que lui et moi aimions rouler par ici semblait augmenter mes chances qu'il puisse s'y trouver, et je me disais que je n'aurais qu'à plaider l'amour pour expliquer la démolition de la clôture. J'avais conscience d'être gravement atteinte.

Soudain, je l'ai vu ! C'était lui là-bas dans le bosquet, son petit cul rebondi, la finesse de ses tubes ! Je me suis précipitée, ce n'était qu'un vulgaire vélo. Chaque fois le cœur qui tombe à l'eau comme une pierre. Juste là, oublié de moi, un pommier bazardait ses fleurs dans l'anonymat le plus complet. Les pétales s'envolaient comme une nuée de papillons roses et atterrissaient à côté de crocus mauves éparpillés comme des billes sur le vert tendre d'un carré de pelouse… Ça devait cesser, cette absence au monde.

La beauté de la lumière a réussi à infiltrer mon cerveau, quelqu'un quelque part a monté le volume, et j'ai enfin entendu le chant polyphonique des oiseaux. J'ai levé la tête. Sur un balcon, la vigne vierge encadrait un couple en train de s'embrasser. C'était un beau baiser. Ils se sont séparés, l'homme a ouvert une porte et disparu.

Qu'est-ce que je faisais là, dans mon bosquet d'espionnage, à saliver la vie des autres ?

J'ai pensé : *Ça finit là, excuse-moi, Furi, je ne te cherche plus.*

Je me suis enlignée vers la sortie, la mine basse, j'ai entendu les pas de la femme du baiser qui descendait les marches, et quand j'ai relevé la tête, c'était ma sœur Sonia qui me regardait avec effroi : « Bon Dieu, t'es *encore* à Québec ? Tes amis ne sont pas fatigués de t'avoir dans les pattes ? » Elle criait en chuchotant, elle n'était pas contente du tout. L'homme, un grand châtain au front bombé, est réapparu au balcon, tonique et souriant, et a dévalé les marches. Sonia a dit, le plus jovialement possible : « C'est ma sœur, elle passait par hasard, c'est drôle. » Il a incliné le torse et m'a tendu la main.

— Bonjour : Christophe Larue.

— Joëlle Pellerin, enchantée.

— Christophe est mon ostéopathe, a dit Sonia, les pupilles transformées en lance-flammes.

Je me suis adressée à lui, mondaine et bien élevée :

— Ostéopathe... C'est une discipline qui demande beaucoup de sensibilité, un doigté d'accordeur... On peut dire, en quelque sorte que vous réparez le son d'instruments sublimes mais désaccordés !

— Ah, j'aime beaucoup cette idée !

Christophe était ravi. Faisant fi de la boucane qui sortait des narines de Sonia, j'ai poursuivi :

— D'ailleurs ma nièce, la fille de Sonia, est une pianiste accomplie, un talent rare pour son âge.

— Ah oui ? Je l'ignorais. Quelle chance, Sonia : une enfant artiste !

Sonia, qui avait appliqué les freins à deux pieds sur un hurlement, n'a laissé échapper qu'un cri étouffé derrière un vrai beau faux sourire.

Pour parer à toutes ces émotions, j'ai décidé de devenir alcoolique. C'est plus facile que je pensais. En gros, à partir de quatre heures, tu transformes l'eau en vin, et c'est dans la poche ! Sans blague : j'ai été invitée à souper chez Éléonore et Boris – deux fois –, chez ma nouvelle amie Mathilde et aussi chez l'écrivaine ; il y a eu un méga vernissage à la Galerie 3, des tableaux hallucinants, des bouteilles de mousseux qui popaient sans arrêt. Il faisait beau, tout le monde avait sorti sa peau, on buvait... C'est le printemps qui fait ça.

Hier encore, j'avais rendez-vous au bistro de la Manif d'art avec Mathilde – qui n'est jamais venue d'ailleurs, mais c'est une autre histoire.

Assise au bar, pognée avec un idiot, je regardais la rue écrasée de soleil, et j'ai vu mon frère Victor – je me l'imagine si souvent : il marchait vers moi de son pas élastique. En fait, je regardais plutôt *l'éventualité rêvée de mon frère approchant*... J'avais déjà pris deux verres, le sentiment d'irréalité était fort. Avec un flegme remarquable, j'ai repris une gorgée de vin, fière de ne pas tomber dans le piège du mirage, avant de regarder encore... Victor m'avait vue, il courait, il fonçait vers moi ! C'était lui, en chair et en os ! Il m'a soulevée, une joie pure a fait doubler mes poumons de volume, et je crois que j'ai crié fort, mais peu importe. J'étais soulagée que ce soit vrai, que ce soit lui : Victor chéri ! Il m'a fait tourner dans les airs, et quand il m'a déposée, par une magie inexplicable, le vantard chiant qui me draguait depuis une heure avait été remplacé par un Maxime Rivière sans barbe. J'ai ouvert les bras et je l'ai serré fort, lui aussi – ces affaires-là, de serrage dans les bras, c'est addictif – et Maxime, gauche comme un gars de quinze ans, m'a donné un foulard du bout de son bras raide. Après, je lui ai présenté mon frère, et il lui a secoué la main comme pour la décrocher. C'était beaucoup d'un seul coup, même pour une future AA. Victor avait soif, Maxime avait soif, j'avais soif, y fallait fêter ça. J'ai proposé de changer de table et j'en ai profité pour changer de statut. Eh oui, c'était bien moi, sous un parasol sur la terrasse : la fille en robe blanche avec les deux plus beaux mecs en ville !

C'était un feu roulant de plaisir : parler, parler avec du monde cool, je ne m'en lasserai jamais. Mon frère avait un paquet d'anecdotes. Un de ses amis, dans le nord de l'Ontario : tout l'hiver, avec ses frères, ils jouent au hockey au bord du lac. Au printemps, le lac cale avec un des filets, et quand ils vont le récupérer en canot, il y a un brochet de quinze livres pogné dedans ! Ha, ha ! On a ri, c'était bon. Maxime a parlé d'un vieux qui lui sort toutes sortes de proverbes :

— Au lieu de dire *Laisse faire*, il dit : *Laisse péter le renard*. Il en a des nébuleuses, comme : *Qui trop embrasse manque son train...*

— Ha, ha, ha ! C'est la version québécoise de *Qui trop embrasse mal étreint* ! Ha, ha !

— Il dit aussi : *Qui ne risque rien n'a rien, mais qui n'a rien ne risque rien.*

— Ah, c'est bon ! Ça me fait penser...

Je me suis tournée vers mon frère :

— Te rappelles-tu, Victor, du château de Wells ?

— Mmmoui, vaguement.

— J'avais douze ans, notre sœur Sonia, dix, et Victor, sept. Quand on voyageait, ma plus grande peur, c'était de me retrouver dans un endroit laid. Cette fois-là, on avait été pris dans un embouteillage sur le pont qui traversait la lagune, et de chaque côté de la rue il n'y avait que des cabanes déglinguées qui n'auguraient rien de bon.

— Ma sœur a une mémoire visuelle absolue et elle aime les détails. Mais continue, Biche, on aime ça, pas vrai, Maxime ?

— On adore.

— Bon, mes craintes sont hyper non justifiées, Papa a loué un chalet superbe, en bois gris, et on n'a qu'à traverser la rue pour être sur la plage. Un après-midi, de jeunes Américains s'installent pas loin de notre base pour faire un gros château de sable, et Victor se met à leur tourner autour.

— Ah oui, ça me revient! Ils sculptaient des escaliers avec leurs paquets de cigarettes, ils m'avaient montré comment: le paquet bien horizontal, on pesait, on se tassait d'un pouce et on continuait jusqu'en bas. Je les avais aidés. Sans blague, j'étais p'tit en maudit, je m'étais fait des amis américains, je disais: *Okay. Yes...* Il était super, le château: gigantesque!

— Et, quand ils sont partis, ils te l'ont donné!

— Ah oui, c'est vrai. Wow. J'étais content, je...

— T'as commencé à stresser qu'on te le démolisse, t'as pris nos serviettes, tu les as étendues autour du château, t'es revenu en courant, tu voulais qu'on change de place. Notre mère lisait dans sa chaise pliante, elle n'a pas répondu. Alors t'as arraché le parasol et t'as couru le piquer sur les terres de ton royaume. Maman est partie bouder au chalet, on a déménagé toutes nos affaires. Quand Papa est revenu de sa baignade, il a trouvé que c'était une bonne idée, il s'est installé dans la chaise longue, tout relax. C'était l'heure où le soleil décline, le ciel devient orange. Les gens rentraient, tout le monde arrêtait pour nous parler, admirer le château.

— Belle histoire!

— Après le souper, Victor disparaît. On m'envoie le chercher. Il est là, en boule, grelottant dans une serviette humide, tout seul avec la lune, à monter la garde de son château.

— Le lendemain, j'ai couru pour le voir, c'était rien qu'un tas couvert d'empreintes de pieds.

— C'est difficile, se faire donner un truc qui soit à la fois précieux *et* fragile.

— Ce sont les plus beaux trucs.

— *Let's drink to that.*

Troubadour est arrivé avec sa blonde, Charlotte : une fille vraiment belle, rousse, drapée d'une robe noire élégante, élancée comme une femme du Sahel, mais blanche. Ces deux-là irradiaient d'amour, c'était clair comme de l'eau de roche. Ils nous ont tellement fait rire. J'espère que je n'ai pas trop parlé… Mais non : j'étais bien, c'était bien.

Le soleil se couchait, on s'est levés, on a marché un peu, ils allaient à un autre vernissage, on s'est séparés sur le parvis de l'église Saint-Roch.

« Est-ce que tu viendras me rendre visite sur ma colline ? » Aaah, le sourire qu'il a eu pour me dire ça, Maxime. Il m'a donné le plan dessiné sur une serviette de table. Mais, malgré le tourbillon de choses heureuses que je semblais attirer telle une fleur à nectar affriole les abeilles, j'ai eu la présence d'esprit de ne pas dire *oui.* Enfin, je n'ai pas dit *non,* non plus, j'ai dit *peut-être, oui.*

Victor et moi, on est partis bras dessus bras dessous, on s'est arrêtés tout le long de la rue, acheter des choses délicieuses : des mangues, des litchis, des fraises, des limes et des huîtres, de quoi faire des sashimis. Victor a tripé sur mon appart : « C'est trop hot, et super propre ! On pourrait manger par terre ! » C'est ça qu'on a fait, en mettant une nappe flottante sur le Lac Rond. Il n'est pas retourné à son hôtel, je lui ai patenté un joli lit sous le palmier. Le lendemain matin, on a déjeuné dans un café. On est allés courir au bord de la rivière Saint-Charles ; le lendemain sur les Plaines, après sur la promenade de Champlain… Une fois, on a parlé d'appeler notre mère, et puis, je sais pas : on a oublié. On a rendu visite à Adelia, on l'a charmée en faisant tous les deux l'équilibre sur les mains au milieu de la grande pièce. Mais Victor, encore plus kamikaze que moi, a dit, la tête en bas : « Bye, tout le monde, j'y vais ! » et il a marché sur les mains jusqu'à la porte ! Ha, ha !

Ç'a été ma fête, j'ai eu trente-trois ans, j'aime ce chiffre, graphiquement, il est beau : 33.

Vic m'a invitée au restaurant. Il a attendu qu'on en sorte repus après le bon repas pour me donner une enveloppe. Elle contenait une carte de fête et un paquet de billets. « Pour ton nouveau Furi. » J'ai été émue aux larmes – on s'en doute.

Trois jours de fratrie intensive, puis hier il est reparti *sur* Paris. « Criff, Victor, t'es devenu un gars international... » J'ai réussi à ne pas pleurer devant lui, mais ça m'a pris tout mon petit change.

Aujourd'hui, je voudrais réfléchir, mais je n'y arrive pas. Le silence est parti se réfugier ailleurs. Dans la rue, un jeune gars, le marteau-piqueur appuyé sur ses bijoux de famille, démolit le trottoir. C'est sérieux, les tuyaux ont trois cents ans, et il faut les changer. Mes oreilles sont des éprouvettes sur le point de déborder. Les camions vont et viennent, reculent avec un son strident qui s'incruste à la circonférence du tympan et résonne durant des heures. On ne s'entend plus penser. J'éléphantasme le silence.

Ça fait longtemps que je n'ai pas ajouté d'article à ma liste de désirs. Je l'écris en belle cursive, à l'encre violette : *Le silence.* La couleur des lettres m'inspire, alors j'ajoute : *De la lavande en fleur.*

J'ai le goût brutal de me sentir importante. Ce n'est pas le genre de sensation qu'on avoue à n'importe qui, mais on peut quand même appeler son amie pour lui emprunter son noble chien en vue d'une promenade sur la Grande Allée. Éléonore est ravie.

Bidule me précède de son pas altier. La tête accrochée au ciel par un crochet imaginaire vissé dans ma fontanelle, je remonte les fesses, remonte les genoux, descends les épaules, et je marche en me remémorant madame Molnar, la professeure de ballet de mes six ans. Le seul problème, c'est qu'avec un chien noble, on est constamment interrompu, immobilisé par les passants qui s'arrêtent pour le saluer, le flatter et me regarder, le sourire fendu jusqu'aux oreilles, comme si je l'avais pondu. Sur les Plaines, c'est encore pire : certains promeneurs *are having actual* conversations *with the dog*... À moi, on ne parle pas, sauf pour me demander certains détails de la vie de Bidule. Bonjour, l'importance.

J'ai fait boire le noble chien à la fontaine, avant de nous installer au sommet du vallon suivant, avec vue sur le Majestueux. Assise tranquille à l'ombre d'un érable centenaire qui bruisse de toutes ses jeunes feuilles, je regarde le paysage, les gens, je flatte le chien allongé comme un sphinx qui regarde, lui aussi. C'est une belle activité : *regarder*, parfois ça aide à voir... Le soleil tape sur un bateau chargé de gros blocs Lego jaunes et rouille qui passe au ralenti en fendant l'eau du fleuve. Je devrais essayer de corder mes pensées.

Je m'étends, ferme les yeux. *Essaye de réfléchir, Joëlle.* Je ne sais pas si je vais, si je devrais... On me dit *viens*, et moi, je viens.

— *Come see me.*

— *Okay : coming!*

C'est ça qui m'énerve. Je ne maîtrise rien, je me sens *choisie.*

Les yeux fermés, je vois avec une précision aveugle un couple admirer des fleurs en anglais, une bande de jeunes se lancer le frisbee en franglais et un bébé pleurer on ne sait pas dans quelle langue.

Moi, je veux *choisir.*

La sittelle chante au-dessus de ma tête, et je me souviens de quand j'étais un oiseau. Qu'est-ce que c'était bien de se tenir légère sur une branche, de chanter, puis de décider de s'envoler… Ce n'était pas une décision, mais une impulsion : quand l'idée et le mouvement ne font qu'un. J'ouvre les yeux, flatte le beau chien. Je ne sais plus réfléchir. Je suis meilleure dans le regardage et le critiquage.

Un couple de joggeurs, vêtu de techno fluo, remonte la pente en soufflant. L'homme devrait sérieusement penser à se relaxer les épaules, son cou est comme avalé, et la femme perd toute son énergie dans une suite de bonds gracieux.

Évachée sur ma bosse de pelouse, je suis intraitable, parce que moi, s'il y a une chose que je sais faire, c'est courir. Je me dis ça pour me tonifier l'ego et pour me consoler de la perte de Furi. Ça marche.

Non, ça marche pas vraiment. J'ai l'impression de le trahir si j'en achète un autre.

Deux pros s'en viennent en synchronie parfaite, voilà qui est mieux : deux beaux gars à belles cuisses, vêtus de noir, à la James Bond. Ils discutent sans discontinuer, sans s'essouffler, et ne font qu'une bouchée de la pente. Celui de droite : houlala… Isis, priez pour moi. Chaque foulée est parfaite : efficacité maximale, effort minimal. Dans l'arbre voisin, deux corneilles commentent ce passage remarquable : admiratives, elles approuvent le choix du noir intégral… Un homme, c'est quelque chose un homme, une masse, un poids, une force. Je ne veux pas n'importe quel homme. Il a écrit *Tu peux m'appeler*, sur le plan, avec son numéro de téléphone… Je ne vais certainement pas l'appeler.

J'ai failli.

Mais non. Retomber dans le rôle de la petite femme qui accourt, qui fait tout ce qu'on attend d'elle, je peux pas…

Une famille nucléaire s'en vient avec un épagneul qui tente de se suicider par strangulation en tirant sur sa laisse. La fillette est en laisse, elle aussi, les sangles roses se croisent sur son petit thorax, elle a trois, quatre ans, marche parfaitement. Bidule se redresse, aux aguets, mais reste là. La mère est obèse, le père enceint de dix mois. Merde, la laisse de l'enfant est plus courte que celle du chien ! Comment fait-elle pour supporter ça ? Forcée d'avancer sur l'asphalte dans un si beau parc, pauvre petite chouette… Comme si elle m'entendait penser, la fillette s'arrête et tire sur sa laisse en pleurant : « Lâche, maman ! Lâche-moi ! » Quelle bonne idée, han, pourquoi pas ? La lâcher sur l'herbe tendre, la laisser avoir un brin d'enfance, non ? La petite tente une échappée à petits pas rapides, mais la mère la ramène d'un coup sec qui la fait tomber assise sur l'asphalte. Et la fillette perce les nuages du cri de la révolte. Malgré certaines envies passagères de distribution de claques, mon désir de devenir humaniste est réel.

Quand j'ai reconduit Bidule chez lui, Éléonore m'a offert un verre de kombucha au gingembre, et on s'est installées relax, sur son balcon. Les fleurs et les fines herbes se découpaient à contre-jour, le gros érable projetait sur nous son ombre verte mouchetée : on se serait crues dans l'après-midi d'une pièce de Tchekhov. Je n'ai pu résister : à ma confidente, j'ai dit mon tourment…

— Monsieur vomi, je vois…

— L'autre jour, moi aussi, j'ai mangé tout croche et…

— Je comprends, Joëlle.

— Tout d'un coup, il a lancé son invitation comme ça, pour rien… pour…

— Mais non, il a dessiné le plan et tout !

— Écoute, on me dit *viens*, et j'accours ?

— Non, c'est pas ça, la question. La question, c'est : *Il te branche, ou pas, ce gars ?*

— Je...

— ...

— Oui, il me branche.

Éléonore prend sa voix de matamore :

— Sais-tu conduire, Pellerin ?

— Oui, bien sûr.

— OK. Je te prête la voiture.

— Mais, enfin, arrête, vous en avez besoin !

— On a celle de Boris, et c'est pas ton problème, Bella.

— Éléonore, merci, merci trop, mais je ne sais pas.

Je marche, rongée d'indécision sous les nuages bleu acier qui se regroupent pour l'orage. Cette impression de me livrer pieds et poings liés... Un classique : le cœur veut, la tête refuse... C'est fort, la volonté, on peut en arriver à faire taire sa propre voix, ne pas l'entendre crier au fond du puits.

Quand je rentre, Colombe m'a écrit un message :

> *Merci, Joëlle, merci trop ! Je suis full contente, t'es trop hot !!! Je sais pas qu'est-ce que t'as fait, mais ça marche, Maman a dit que je pouvais continuer ! Je vais même aller au camp musical cet été !!!*
>
> *Je t'aime !!! xxxxx*

Hé, bel impact.

Les ouvriers sont partis, le calme est revenu dans la rue. Assise dans l'alcôve de mon abri perché, je déguste un verre de blanc en regardant la rue déchirée comme après un bombardement. Sans préambule, le ciel s'ouvre, et l'orage éclate. Le vent fait son show, fouette les trombes d'eau pour un lavage intégral de paysage. Je me souviens quand Maxime m'a donné le plan, j'ai dit *peut-être*, et puis j'ai demandé ce qu'il fallait emporter là-bas. « Un maillot de bain ? À part ça, juste toi, c'est parfait… »

J'ai le goût d'ouvrir les vannes, de me faire brasser le paysage moi aussi. Cette simple pensée déjà très imagée a entrouvert la porte de mon nombril, des papillons sont entrés dans mon ventre et ils dansent.

La vie n'est pas une ligne droite, c'est une route sinueuse avec des montées, des descentes, ça nous pousse à continuer, on veut voir ce qu'il y a derrière, au bout, après. La hauteur de certaines ascensions est grisante, on risque de tomber de haut, mais quand on arrive au sommet, on a une meilleure perspective.

Je ne sais pas où je m'en vais avec ces ruminations multiformes.

Je me souviens précisément de l'instant du départ, quand on s'est embrassés ; oh, une simple bise sur les deux joues, j'en ai senti la répercussion jusque dans les genoux.

*Juste toi, c'est parfait…*

Oser vouloir savoir aimer.

La stratégie de la gazelle en fuite est une méthode de résolution de problèmes qui atteint parfois ses limites. Le corps a ses raisons que la raison ignore. Pourquoi badigeonner l'amour d'une membrane collante ? Ça peut être plus léger. Mon cahier m'entend lancer mes idées nobles dans le vide et prend un air sévère. Je le nourris un peu pour qu'il arrête :

*Des idées courbes perçues par la peau, chassées*
*un jour, épousées l'autre.*
*Soif de la joie qui arrondit le squelette.*

Maintenant, quand je me passe la soie dentaire, je pense aux ours noirs. Il y en a un dans le carré de sable, l'autre est dans la balançoire, la grosse mère les surveille assise à la table à pique-nique en mangeant une pomme.

Complètement nue, je me glisse dans les draps frais de ma couche solo nuptiale. Je passe mes mains sur mon ventre, mes bras, mes seins et les dépose entre mes cuisses.

Un petit nid à l'envers posé sur un cœur qui bat.

# Flamme

J'ai dormi chez Nic et pris la route très tôt. Les phares poussaient la brume qui se tassait à mesure, je roulais sans musique, sans rien, sauf hâte à elle.

Je me suis rappelé une scène d'un des films que Nic m'a donnés, un gars qui donne un massage à une fille très souple et… Il y avait plusieurs bougies de différentes hauteurs allumées sur une table… C'était une belle scène.

Samedi, on a dit samedi.

*Joëlle, je t'aime.* Non, ça ne se dit pas. Pas le premier soir. *Joëlle, t'es belle,* ça marchait, ça, au primaire, tu disais *t'es belle* à une fille, et c'était ta blonde.

J'arrête à Montmagny, fais provision de chandelles blanches. J'en prends six paquets : les pas parfumées. Hier, Joëlle a raconté une visite chez le dentiste, en fait, elle a décrit le parfum d'un gars dans un ascenseur, et avec Victor, on a ri comme des fous ; ses histoires sont savoureuses… *En plus,* elle est drôle. Même un peu ivre, elle a gardé sa délicatesse joyeuse. Son frère, Victor, un chic type, aux aguets, présent à tout, il réussissait à la faire rire aux éclats avec un mot ou deux. La façon qu'elle avait de le regarder, les yeux rétrécis par la joie, ça me donnait chaud… Joëlle, Joëlle, *my God,* trop belle, chaude, brillante… Elle a dit oui, elle vient. J'ai hâte.

OK, mon gars, essaye de ne pas lui sauter dessus comme un affamé.

Je dois être patient. Je me souviens de ma mère qui dit :

— La plus belle qualité d'un homme, c'est la patience, elle mène à toutes les connaissances.

— Et les filles, Maman, c'est quoi, leur plus grande qualité ?

— L'endurance, mon garçon.

Arrivé sur la colline, j'ai coupé le contact avec l'impression d'avoir été parti longtemps. C'est la perspective de sa venue, ça me fait voir les lieux d'un œil neuf. Kaya a déboulé le sentier à plein régime pour la cérémonie de mon accueil, moi *l'élu*, l'humain le plus enthousiasmant de la planète. Elle m'a guidé vers Selfrid, qui était avec Yako du côté de sa roche belvédère, en train de la sertir de ses petites amies pierres, en couronne autour.

— C'est de l'art, Selfrid, tu sais ça ?

— Qui vaut pas une risée vaut pas grand-chose.

— Non, sérieusement, t'es un artiste !

— J'ai la twist, pis j'aime ça. Ça me relaxe.

J'ai repris le sentier de ma maison, affamé. Selfrid, c'est mon meilleur : *Vous désirez relaxer ? Avez-vous essayé de charrier de la roche ?*

Dans mon frigo, je trouve des truites avec une note sur le paquet : *Salut Rivière, à bientôt j'espère. Martin.* En dessous il a inscrit la date ; pêchées un jour, mangées le lendemain, elles se courbent dans la poêle. Après dîner, je me lance dans le ménage. J'ai mis des chants corses, ça donne de l'allant, comme dirait Self. J'y vais à fond, tant qu'à faire.

Ça m'a pris l'après-midi. La cuisine est nickel, on pourrait y faire une opération à cœur ouvert. Le salon, la salle de bain, tout est beau. Le bureau, je l'ai simplement exclu de mes pensées. J'ai porté une attention particulière à la chambre. J'aime beaucoup ma chambre, c'est une pièce vaste qui ne contient que l'essentiel : un foyer, un lit, un fleuve et une chaîne de montagnes. C'est ce que j'ai construit en premier, ici : une annexe au vieux chalet, en lisière de forêt. Ma cache d'espionnage à travers les arbres avec son toit vert et des vitres sans reflet. Je n'ai jamais invité personne à dormir dans cette chambre. Couché sur le lit, je vois l'horizontalité du fleuve surmontée des Laurentides qui entrecroisent leurs dômes vers la rondeur du Grand Nord. Le reste, c'est du ciel…

Elle a dit *peut-être, oui,* mais je l'ai senti, son *oui.* Oh que oui, que je l'ai senti !

À six heures, je me verse le verre de vino du travail accompli, et ça me saute aux yeux : les angles, le gris… Il manque le *confort,* et un peu de couleur.

Aujourd'hui, j'ai acheté un grand tapis persan. Dans le même magasin, j'ai trouvé des coussins moelleux ; ils avaient aussi des draps de millions de fils au pouce. Un peu plus loin, j'ai trouvé un fauteuil d'un beau vert mousse et une table basse en teck pour mettre les chandelles. Elle m'a parlé d'un livre, je l'avais commandé, il m'attendait à la librairie.

J'ai lavé des draps et les ai accrochés dehors pour qu'ils sentent le vent ; moi non plus je ne crois pas au grand air de synthèse, Joëlle.

Je lis *Au temps du fleuve Amour,* c'est bon, c'est excellent.

Je l'attends. Le temps ne passe pas vite. Je tourne une page, avale ma salive phosphorescente.

J'ouvre grand les rideaux, sur cette magnifique journée arrangée avec le gars des vues.

Après un bon déjeuner, mon petit barda sur l'épaule, je grimpe le cap une fois de plus, sur mes jambes fermes de fille de Québec.

Éléonore, qui de sa vie ne m'a vue qu'à vélo, veut me faire conduire autour du pâté de maisons.

— Tu doutes de ma capacité à évoluer au volant d'un véhicule automobile ?

— Allez, embarque, Jacqueline Villeneuve.

Elle avait une course à faire sur le chemin Saint-Louis dans le quartier de notre adolescence. Je t'ai viraillé ça sans anicroche. Le chauffeur de Sa Majesté, c'est moi. « OK, tu sais chauffer, ma vieille. » Je lui fais un sourire banane, j'agrippe le volant à deux mains, les muscles bandés, roule des yeux vers elle avec une voix de radio poubelle : « Demande-moé n'importé quoi, beauté, m'as te l'faire. Veux-tu un spine ? Veux-tu un wéllé ? Rien que pour toué ! » Elle riait, elle riait ; j'ai atteint un sommet d'euphorie intérieure, elle demandait grâce, mais faire rire son amie a quelque chose de tellement jubilatoire, je ne pouvais plus m'arrêter : « Pleure pas, tite madame, t'as les yeux tout trempes, ton rimmel va couler ! »

Tout allait bien, je suis sortie de la vile, j'ai traversé le fleuve par le pont Laporte, et sur l'autoroute : bang ! Je me suis retrouvée la tête prise dans un étau, ça ne m'arrive jamais ; ça doit être ça que les gens appellent une *migraine.* Elle m'a plombé le lobe frontal avant d'aller se loger dans l'arbre de vie de mon cervelet. C'était pénible pendant cent kilomètres, mais quand j'ai pénétré dans les terres, ça s'est dissous comme du sel Eno !

Je roule dans une belle campagne bien entretenue avec de jeunes potagers, des fleurs et de belles vaches en santé dans les champs. Au détour du chemin, sur un grand pan de roche nue, une inscription à la bombonne : *Toutes des folles sauf Jess...* Ha, ha ! Jess : tu t'es trouvé tout un poète ! Pouet, pouet ! Mon rire éclate, impromptu. Je déplace le rétroviseur pour me voir la face qui rit – la vache qui rit ? ha, ha, ha ! Je suis un peu nerveuse, c'est que j'approche, là... J'ai hâte. C'est une faim qui se nourrit elle-même. Je me concentre sur la route, le corps aux prises avec le doux calvaire du désir. De gros bouillons de futures joies font éclater leurs petites bulles entre mes cuisses, et un essaim de particules luminescentes vibrionnent à l'intérieur de ma cage thoracique... Isis, protège-moi.

Heureusement que j'avais son plan dessiné, jamais je n'aurais repéré l'entrée du chemin : une simple brèche dans la forêt. En tournant, j'ai vu que quelqu'un avait accroché un bout de tissu jaune à une branche. C'était raide et raboteux au début, mais passé la première courbe, je me suis retrouvée dans le plus beau chemin forestier qui soit.

Les érables et les bouleaux se donnent la main au-dessus de ma tête, le soleil traverse le vert translucide du feuillage dans un pétillement de lumière fractale, et c'est absolument féérique. Enfin des feuilles, des feuilles à profusion ! Ça sent la terre, le vert, le vivant à plein nez. Feuilles, je vous aime.

Je prends mon temps, roule à trois kilomètres-heure, la vitre baissée, le bras sorti. Dans la troisième courbe, j'effarouche un chevreuil. J'arrête. C'est drôle, il a sauté derrière un bosquet et il reste là; immobile dans sa fourrure rousse, il se croit bien caché. Je finis par lui dire salut pour le plaisir de le voir bondir. Le chemin bifurque et aboutit à une aire dégagée ceinturée d'épinettes, je me range à côté d'une voiture bleue, éteins le contact.

Je sors de l'auto, du roulis plein les jambes, fais un pas dans une talle de violettes, trois pas dans les herbes hautes, et je ne bouge plus.

Je n'en reviens pas, je suis dans une forêt. Ça doit faire dix ans. Je respire à pleins poumons, étire un peu le pavillon de mes oreilles. Par-dessus le frémissement des feuilles, les oiseaux se parlent, chacun sa ligne à tour de rôle, puis un duo dans les aigus, et maintenant: tous ensemble! Ça farfouille dans le sous-bois: un écureuil fait rouler la petite bille rouillée qu'il a dans la gorge pour dire à tout le monde qu'il m'a vue. Eh oui, je sais que je suis sur ton territoire, écureuil.

Le voilà, mon hôte; il vient d'apparaître dans le sentier, monsieur Rivière…

Est-ce possible, il est encore plus beau dans sa forêt qu'en ville. Je reste où je suis, j'agite légèrement la main. Dans mon thorax, des hirondelles se croisent en vol plané. *Piano, pianissimo…* Le moment est fragile, de la porcelaine mince à peine biscuitée.

Maxime avance, il est presque là. Il se penche pour ramasser de l'air et me l'offre au centre de sa paume. Ce n'est pas de l'air, c'est une fleur, la plus petite fleur du monde dans la vallée de sa ligne de vie. Je relève la tête, il a ce sourire hallucinant et je suis certaine que ses lèvres sont douces. Trois de ses doigts se posent sur mon coude – *le coude*: cette partie du corps aux ramifications insoupçonnées. «Tu es venue, tu es là, Joëlle, je suis tellement content.» Deux ours arrivent en courant et se lancent dans nos jambes.

Ce ne sont pas des ours, ce sont deux chiens qui m'accueillent joyeusement. « Yako, Kaya : c'est bon », a murmuré Maxime, et les chiens se sont assis.

Il se retourne et me sourit avec ses lèvres pas encore embrassées, et ses bras se referment autour de moi. La plus petite fleur du monde tombe au sol.

Il sent le vent, l'air libre.

Il m'a fait visiter sa colline, c'est beaucoup de beauté d'un seul coup, mais j'ai regardé de toutes mes forces, de tout mon corps, jusqu'au bout de mes yeux.

On a dormi dans le bruissement des feuilles de la cabane sous une couette jaune, surmonté d'un filet de voile blanc.

Aujourd'hui, j'ai écrit dans mon cahier :

*Le ciel m'étonne, la vie, mon étonnement*
*Tempête d'intuition entre les secondes*
*Beauté du silence*
*L'avenir désire vivre dans le matin mauve*
*Le soleil traverse mes doigts là où le rouge palpite*
*À la frontière de ma peau, l'altérité commence*
*Il était une fois un royaume*
*Éclats d'instants les yeux ouverts*

## Épilobes et pensées sauvages

Il vient de m'arriver un truc extraordinaire. Je marchais dans le bois à la recherche de champignons, je me suis accroupie, et soudain il était là : un bébé lièvre, à côté de mon pied ! J'aurais pu ne pas le voir tant il se fondait dans le décor. Coincé par-derrière dans l'encoignure d'une branche, avec ses grands yeux noirs bordés de cils blonds, les oreilles plaquées sur sa petite tête, il faisait tout pour être invisible. J'étais son premier être humain, ça, c'est certain. On s'est regardés intensément, j'osais à peine respirer. Ça a duré un moment, puis j'ai pris ma voix forestière, basse et chuchotante : « Ti-lièvre ? T'es perdu ? Tu restes là, tu te sauves pas ? » J'ai tendu la main doucement, je lui ai flatté la tête, et il s'est laissé faire. Sa fourrure était d'une douceur insensée, du bout de mes doigts, je sentais ses minimuscles, son petit crâne tout neuf. Il a fini par se sauver, j'ai eu le temps de voir ses pattes de derrière aussi grandes que son corps, sa queue de duvet rebondir.

J'ai couru raconter ça à Maxime, qui travaillait dans la clairière de l'est.

— C'est tellement invraisemblable, il s'est laissé flatter ! ?

— Oui, je sentais ses petits os, sous la fourrure !

— Toi, les animaux t'aiment... Attends de raconter ça à Self !

Les mots me manquent pour décrire la beauté de mes jours. Au début, ça fait peur, le bonheur ; ça fait presque trembler.

Il m'est arrivé de retomber du côté farouche de la force. La troisième fois que je suis venue ici, un soir, une femme a appelé, sa voix était très douce, elle voulait parler à Maxime. Ils ont parlé longtemps, il riait... Je ne sais pas comment nommer ce qui m'est arrivé, cette peur folle qui m'a transformée en furie. Maxime me regardait, terrorisé, en me racontant une histoire de chiots... ? Je ne comprenais rien, tout était distorsioné. Je criais : *J'ai trop confiance, tout est trop beau !* Le décor allait tomber, mes joies débouler comme des conteneurs mal empilés sur un bateau de contrebande. Je ne sais pas... C'était peut-être un syndrome postnaïveté chronique, ou mon espèce de technique qui consiste à semer des fleurs de tapis pour m'enfarger dedans.

Après ça, j'ai décidé d'y croire. J'ai atteint un état de grâce inimaginable, puis j'ai commencé à avoir peur que ça s'arrête. Il devait y avoir un prix à payer.

De belles journées furent polluées par ma conscience aiguë de la fragilité de la vie, j'avais peur que Max se tue, peur de me casser une jambe, le cou, n'importe quoi. Ça ne se pouvait pas, être heureuse comme ça. C'était épuisant, je m'en suis rendu compte. Ce jour-là, j'ai jeté mes peurs en bas de la falaise et le lynx les a mangées.

Advienne que pourra. Il faut s'aguerrir l'espérance.

J'avais écrit : *Aimer quelqu'un d'un amour si profond qu'on peut plonger du haut d'un rocher...* Peu à peu, l'horizon s'est débarrassé de son brouillard, et j'ai perdu le malheur en cours de route. Hardi, mon bonheur, hardi ! Je suis fière, j'ai plongé. Le lac est profond, je ne me suis pas cogné la tête.

Maxime voulait que je reste, avec lui, *toujours*, que la colline soit *notre* maison.

Il demandait : « C'est quoi, pour toi, une journée parfaite ? » mais ça voulait dire : *Reste*. Il disait : « Je vais nous faire un bon feu» et ça voulait dire: *Reste*... Certains jours, il oubliait, puis tout d'un coup, la question revenait, intense, silencieuse et bouillonnante, dans ses yeux, dans ses mains... Il disait: «Veux-tu me couper les cheveux?»

Une nuit, mon cœur, ma tête et mon corps ont dit oui. Ce n'est pas une chose qui m'est apparue, ça s'est fondu enchaîné: un mélange de temps, de mots connectés à des sourires, de la soif renouvelée d'être avec lui.

Qu'est-ce que l'amour? Ouvrez-moi la poitrine au scalpel, le mystère restera entier. Regards, chuchotements, patience, silences, sa peau, nos rires... Rire.

Vivre avec lui. Être *moi-même*, avec lui. Dormir dans nos bras.

Plus tard, je me suis décidée à dire oui à voix haute et je l'ai fait comme une reine, avec des précisions:

— Il faut que tu le saches, Maxime: je ne veux rien savoir d'un amour ordinaire.

— Moi non plus.

— La nouvelle cabane du flanc sud sera pour Adelia.

— Bonne idée, Majesté, et je te construis un atelier, qu'est-ce que t'en dis?

Déjà mon deuxième été ici, le cœur au chaud dans un amour encore neuf.

Le temps, élégant et rempli de lui-même, passe la tête haute en habit de soirée: *Regardez-moi! Je passe!* Il fait toujours ça, il veut qu'on l'admire. Mais, quand on est occupé à aimer vivre, on s'en fout du temps, on ne le voit pas passer.

Ce matin, le soleil se croit dans une publicité de jus d'orange. J'aime le mélèze qu'on voit de la fenêtre de la cuisine : ses aiguilles tendres en rosettes de plumes bleutées, tout emperlées de rosée. À l'automne, il devient roux, puis jaune citron ; en deux jours, il lâche toutes ses aiguilles, et le sentier se couvre d'or.

J'ai recommencé à aimer courir, j'ai mes parcours préférés, rebondissants de centaines d'années d'aiguilles tombées. Ici mes journées goûtent le ciel, l'eau est limpide, je suis dans mon écosystème et je dors à poumons heureux. *J'aime.* Ce n'est pas une pensée abstraite parce que je passe mon temps à aimer. Ma tête est remplie de gestes que j'ai hâte de faire. J'aime travailler les images et les mots, j'aime travailler le sol, j'aime l'air qui sent bon, les saisons qui me traversent le corps, les bruits de la forêt. J'aime Maxime Rivière.

Quand j'ai dit à Adelia que j'allais vivre avec Maxime, elle ne m'a pas laissée finir : « Joëlle, je suis si heureuse pour toi, ma chérie. » C'était la première fois qu'elle me tutoyait, et je l'ai serrée dans mes bras ; heureusement, parce que ses genoux ont lâché.

Je l'ai déposée dans le fauteuil et, à cet instant, je l'ai vu, dans ses yeux : l'abîme de tristesse qu'elle trimbale avec elle. J'ai dû tourner son visage pour capter ses yeux : « Adelia, écoutez-moi, je ne veux pas vous perdre, vous avez votre place là-haut ! » Elle me regardait du fond de son gouffre. J'ai couru lui chercher de l'eau. En buvant, elle avait un sourire d'automate :

— Je crois que j'ai fait une petite chute de pression, ce n'est rien…

— Adelia, écoutez-moi, ce n'est qu'à une heure d'ici !

— Aaah, tu es belle… Bien sûr, on va se revoir, bien sûr…

Elle disait ça, le visage couvert de larmes. « Adelia, laissez-moi terminer ! Il y a une maisonnette sur la colline, rien que pour vous, votre petit chalet autonome qui fonctionne à l'énergie du soleil ! » Je l'ai embrassée de nouveau, sur les deux joues, sur les quatre joues. « On ne rencontre qu'une seule Adelia dans sa vie. Je vous ai, je vous garde ! » Elle riait et pleurait en même temps. « Ma belle Joëlle… »

Ça fait du bien de se sentir la fille de quelqu'un.

Fidèle à elle-même, ma vraie mère à qui j'ai présenté Maxime l'a toisé de haut en bas avant de lui servir son analyse d'une voix onctueuse : « Drôle de choix, la barbe… Pas vraiment bien vu, ces temps-ci… » On n'a pas pu s'empêcher d'éclater de rire. À la nouvelle de mon emménagement sur la colline, elle s'est exclamée : « Avec lui ? À la campagne ? » Comme si je m'en allais vivre en Syrie avec un terroriste.

On continue de louer le studio de Québec, on y va souvent l'hiver, voir des expos, des films, des spectacles de danse. À sa fête, on a amené Selfrid au Palais Montcalm pour le concert des Violons du Roy, c'était le *Requiem* de Mozart, et il a pleuré presque tout le long.

J'aime beaucoup Selfrid, c'est un homme discret et profond, il m'a beaucoup aidée à creuser mes jardins. On est pareil, on aime nommer les choses. On a découvert cette passion commune quand il m'a informée du surnom du petit lac. Les coins de sa bouche sont descendus au plus bas quand il a dit le mot. J'ai vivement réagi :

— *Le crachat ?* Mais c'est affreux ! Le plus beau des petits lacs, clair comme un ciel de roche !

— *Ciel de roche !* Là tu parles !

Maintenant, je suis plus ou moins responsable de la nomenclature des lieux sur la colline ; j'aime ça. J'ai baptisé le sentier de la pinède *Le silence*, parce que son tapis d'aiguilles absorbe les sons, et il fait bon marcher dans le silence ; le canot s'appelle *Etchemin,* la tourterelle triste, *Dîpress,* le lièvre, *Pamphile,* et le colibri mâle avec le collier rouge, c'est *Rambo.*

J'ai appris beaucoup de nouveaux mots. Au printemps, des cypripèdes poussent dans l'érablière du plateau : *Cypripedium acaule,* c'est une orchidée, une plante incroyable ; elle fait sa première fleur à dix ans. On la surnomme *Sabot de la Vierge,* mais elle est tout sauf vierge. Rose, striée de veines pourpres, glonflée et charnue, délicatement fendue en deux, elle attire le bourdon et l'avale. Prisonnier de la fleur, il bourdonne longuement à l'intérieur d'elle avant de trouver la deuxième issue : une petite faille gorgée de suc dans laquelle il s'engouffre pour ressortir tout vibrant de pollen… Et la fleur jouit ainsi de plusieurs passages par jour.

Il n'y a pas un seul brin de vent, il va faire encore très chaud aujourd'hui. Ça nous prendrait de la pluie ; la nature assoiffée l'attend, aux aguets. Mais la vie n'est pas un panorama, comme dit Schopenhauer.

Je profite du petit matin pour m'occuper de mes jardins. J'ai entrepris de cultiver la beauté, je mélange le comestible à l'ornemental : fleurs, feuilles délicieuses, herbes goûteuses, légumes, petites tomates en grappes de toutes les couleurs. C'est très gratifiant de manger ses plates-bandes. Gala, qui vient nous visiter au printemps et à l'automne, m'a tellement appris. On récupère la pluie dans des barils qui sont plus hauts, l'eau arrive dans le boyau, par gravitation. À certains endroits, j'arrose à la main, deux arrosoirs à la fois, et ça m'a, disons, *sculpté* les bras.

Mes jardins se nomment respectivement *Von Arnim I* et *Von Arnim II,* en l'honneur d'Elizabeth von Arnim, ma petite chérie, grande jardinière, pionnière de la liberté en littérature.

— Joëlle, as-tu vu mon téléphone cellulaire ?

— Regarde dans le panier suspendu.

— Ah, mais oui : il est là, avec les oignons rouges.

— Maxime, les tamias m'ont encore piqué mon savon.

— Ton savon au miel ? Ils adorent ça.

— Tu crois qu'ils le mangent ?

— Peut-être. Mais chose certaine, moi, je vais te manger.

— Crue ?

— Non, je vais te faire chauffer avant.

— Oui, les femmes à la vapeur, c'est meilleur.

— Tu ne perds rien pour attendre.

Il repart travailler dans son bureau.

Il est midi, la chaleur bouillonne, les cigales se frottent les mains dans le foin sec, leur chant vertical et strident étalé sur la clairière comme un tapis de son. Je me réfugie dans la fraîcheur de mon atelier ; ma solitude s'ennuie de moi.

Je me douche dans la belle douche du bosquet de cèdres, là où les tamias vous piquent votre savon et où les mésanges vous regardent, curieuses, en zinzinulant. Je me sèche, enfile ma grande robe de coton bleue et m'étends sur notre matelas de terrasse.

Mon amour, je l'entends qui arrive. En passant, il s'agenouille, m'embrasse le nombril et part prendre une douche. Le bruit de l'eau se mélange à ses soupirs-délices.

Il revient torse nu, la taille cintrée dans le pagne jaune et or que lui a offert Adelia, avec une bouteille de Vieux Moulin bien sec. En versant l'hydromel dans des coupes, il me raconte un détail de sa journée, une idée subite qu'il a eue. Il est magnifique, mon compagnon : son sourire large et généreux, son rire profond. Alors que je suis vautrée dans un tas de coussins, il se tient devant moi et il bouge, gracieux dans sa jupe. Il est superbe. Un grondement venu de loin se fait entendre.

— L'indice de feu de forêt est au maximum, mais ils annoncent un orage.

— Oui, on le sent qui s'en vient.

Rambo le colibri, attiré par les effluves du vin de miel, s'approche de mon verre en vibrant comme un bourdon, son collier rouge gonflé de puissance. Une microseconde plus tard, il trace son grand U, trois fois dans les airs, en face de nous. Que tout le monde le sache : c'est lui, le mâle alpha, ici !

Le soleil n'est plus qu'un coulis de métal en fusion sous les nuages noirs. On mange de la truite avec des zucchinis grillés et une salade de laitue rouge sur laquelle j'ai lancé une poignée de pensées sauvages. Je dis :

— C'est bon, les pensées sauvages, c'est croquant.

— Tu ne sais pas à quel point je t'aime.

— Non, c'est moi.

— Je pense à inventer de nouveaux mots.

— L'amour, c'est des mots amis avec des gestes.

— Attention, je m'apprête à faire un geste.

— Vas-y, fais-en plein ! J'ai pas peur de toi.

Parfois, les humains se cajolent pendant des heures pour finir par tomber endormis avec le frisson d'enfants qui ont trop ri. Les jours viennent et vont et ne se ressemblent pas.

Dans le refuge de notre chambre, entre chien et loup, livrée à tes mains, tes yeux. Chaque parcelle mise à nue embrassée, embrasée. Un appétit, une salivation, une soif. La braise couvait la flamme, un souffle a suffi et déjà, elle danse.

J'aime ton odeur, tes lèvres fraîches, charnues, gourmandes. C'est ma nouvelle vie, à fleur de peau, comme il se doit, soulevée, enrobée. Nue et respirante, entre tes mains, je me sens belle, je suis tout entière belle. Prendre, goûter, respirer ta peau.

Le désir épanche la soif qu'il déclenche et la décuple. Le nectar est fluide, nous sommes souples, notre lit c'est la mer, et nous sommes des dauphins. Il fait chaud, le ciel clignote comme un néon brisé, un arbre de lumière déchire le ciel et l'amalgame de nos membres apparaît dans la vitre, en noir et bleu. Je ferme les yeux, parcourue d'une liesse circulaire, une rivière aux flots de plus en plus rapides tombe en chute libre au milieu de mon corps, et son écume mousse comme une crinoline dans un concentré de joie pure. Mon délice enroulé au tien guide la fulgurance, je danse sur la crête, à un pas du vide, comme une assoiffée se retient de boire dans un lac d'eau claire. Le tonnerre roule vers nous, et il éclate. Je bascule, sous mes paupières, le noir est rouge et plus rien ne porte un nom. La joie est électrique, elle implose et explose en rayonnements pulsés dans l'infiniment petit qui m'habite. Boire comme une terre sèche, boire comme la mer. Minuit liquide dans un sillon de lune. Je suis un delta en crue.

Le corps en lambeaux d'or, je flotte, enveloppée d'euphorie veloutée dans la nuit odorante qui boit l'orage. Je passe la langue sur ma lèvre supérieure, elle vibre encore, un peu salée. J'écoute mon sang retourner dans ses terres, ton souffle dans mon cou.

Il ne pleut plus, il fait chaud. On a mangé des rôties au beurre d'amande et au sirop d'érable, et décidé d'aller se baigner. L'eau de Ciel de roche : si froide au début, si veloutée après… J'y entre au ralenti, sans éclaboussures, jusqu'à disparaître, et je savoure la joie sous-marine de saltos en apesanteur. Quand je ressors, Maxime dit : « Ma femme, cette amphibie. » Il est un peu plus loin, de l'eau jusqu'à la taille, les cheveux mouillés plaqués sur la tête, et la chute de son dos qui me chavire. Je plonge, je vole vers lui, sans poids dans l'air liquide, et m'étends à la surface de l'eau comme pour bronzer au clair de lune.

En magicien aguerri, il passe les mains sous moi pour prouver qu'il n'y a pas de truc.

— Nous, les femmes, on flotte facilement. On est bien conçues, quand même : notre cerveau fertile, nos sens aiguisés, notre intuition…

— Votre forme.

— Des fois, je me demande si, les gars, vous ne seriez pas un peu jaloux.

— Oui, je sais… Notre problème à nous, c'est ce devoir de puissance, alors que, d'une certaine manière, les femmes sont plus fortes.

— Oui, c'est désolant, cette fortitude. Lâchez ça, vous allez vous en trouver libérés. On le sait que vous êtes forts, c'est très bien, mais c'est pas une raison pour décider de tout.

— Que suggérez-vous, Altesse ?

— Moins de guns, plus de bibliothèques, les gens réunis autour du savoir, de l'art, l'artisanat, le jardinage, les choses organiques… Mélanger les âges, les classes, les genres. Arrêter de dire *sexes opposés*, dire plutôt *sexes complémentaires* : dès la maternelle ! Nos manières sont trop carrées, c'est complètement dépassé. Il y a d'autres manières.

— Des manières rondes ?

— Oui. Le partage, c'est rond, ça tourne et ça marche : c'est prouvé ! Les hommes pensent tout savoir ; s'ils se laissaient faire, un peu.

— Le futur sera féminin, ou il ne sera pas.

« Viens voir, Joëlle, comme c'est beau ! » Je vais le rejoindre sur la terrasse, sous le duvet des plumes. La nuit est d'un noir d'encre, chaque étoile un diamant, et il y en a des millions. Plongés dans la poussière interstellaire de la Voie lactée, les yeux débordant d'infini, je laisse l'espace m'aspirer, mon corps se diluer et je pense à voix haute :

— Je suis microscopique, une partie par million, je fais partie de l'Univers.

— Entre étoiles, vous vous comprenez.

Il resserre la douceur de nos courbes encastrées, et les étoiles sont encore plus belles.

Mon cahier était plein, je m'en suis acheté un autre.

*Le fil continu de l'amour est la chose la plus désirée qui soit. Dans ce monde, il y a beaucoup de monde. Allongée dans le noir, je m'entraîne à penser à nous. Tous les humains de la Terre défilent sous mes paupières, il n'arrête pas d'en naître, et il n'y en a pas deux pareils. Je ne veux oublier personne, mais je m'endors avant la fin.*

Le livre de l'écrivaine a gagné un prix. J'ai été éclaboussée d'honneur, pognée pour m'acheter une robe. Ça m'a donné envie et courage, et j'ai écrit une histoire. Au début, ça s'appelait *Les choses comme je les vois*; le projet est passé par tout un paquet de titres :

*Archipels*
*Le croisement des parallèles*
*Poser le réel*
*À bras le corps*
*L'apparition du possible*
*Entre les secondes*
*Dérouler l'horizon*
*Au bout de nos yeux*
*Le rire des étoiles*

C'est ce que je préfère : écrire les titres. Je devrais me partir une compagnie, je fournirais des titres… Non, c'est pas vrai, j'aime le corps de l'histoire, ses membres tentaculaires, le budget illimité des décors, les possibilités infinies de changements, et contrairement au dessin : les repentirs qui s'effacent sans laisser de traces. J'aime me lever la première, et écrire jusqu'à ce que la cafetière soit vide.

J'ai une idée pour une autre histoire, pour le moment elle s'appelle *Une année sans habitude,* c'est un titre de travail ; je pense aussi à *Je vous salue, désirs,* ce serait pas mal…

Un jour, c'est arrivé, bien sûr. En pleurant à chaudes larmes, j'ai avoué à Maxime que je n'étais pas fertile. Il a dit : « Mais Joëlle, il y a plusieurs façons de vivre sa vie ! »

Et nous avons fait l'amour.

Beaucoup d'amour.

## Crédits et remerciements

*Sont cités dans cet ouvrage des passages des chanson et livres suivants :*

Léo Ferré, « Pauvre Rutebeuf », *Le guinche*, Disques Odéon, 1956.

Søren Kierkegaard, « Diapsalmata », *Ou bien… Ou bien…*, traduction de M.-H. Guignot et F. et O. Prior, © Éditions Gallimard, 1943.

Jean Rhys, *L'oiseau moqueur et autres nouvelles*, traduction de Jacques Tournier, © Éditions Denoël, 2008.

* * *

La sculpture dansée de Joseph Kieffer et de Marie-Pan Nappey, *Reflector*, conçue et présentée au centre d'art L'Œil de poisson, à Québec, durant le mois de janvier 2015, a servi de modèle à la performance décrite lors du permier vernissage.

* * *

*Merci à ma mère de m'avoir fait aimer la vie à ce point, à mon père de m'avoir transmis l'énergie pour la vivre, et à Mireille, Rémi, Caroline, Nicolas et Jean, qui ont permis mon enfance magique.*

TABLE

Achevé d'imprimer en octobre 2016
sur les presses de
Marquis imprimeur

Dépôt légal : 4$^{e}$ trimestre 2016

Imprimé au Canada